A LITERATURA COMO REMÉDIO

OS CLÁSSICOS E
A SAÚDE DA ALMA

DANTE GALLIAN

A LITERATURA

COMO REMÉDIO

OS CLÁSSICOS E A SAÚDE DA ALMA

2ª edição

MARTIN CLARET

Sumário

7 | Apresentação

A literatura como remédio

15 | Dedicatória

17 | Agradecimentos

19 | prefácio à 2ª edição

27 | Prólogo ao leitor extremanete ocupado

35	1. A história de um experimento laboratorial
63	2. A Literatura como remédio
93	3. Lablei: o experimento laboratorial
143	4. Os efeitos: o Lablei, a humanização e a saúde da alma
209	Conclusão para o leitor extremamente ocupado
215	Sobre o autor
217	Bibliografia

Apresentação

LIVROS VITAIS E A VIDA DOS LIVROS
LEANDRO KARNAL*

Conheço o professor doutor Dante Gallian há quase trinta anos, praticamente o mesmo tempo que estou em São Paulo. Compartilhamos disciplinas na USP durante a pós-graduação. Sempre foi fácil gostar do Dante, com seu sorriso imediato e alma cordata no trato com as pessoas. No cruzamento de duas sólidas tradições humanísticas, a italiana e espanhola, ele acumulou títulos e conhecimentos. Acompanhei o crescimento da sua carreira e da sua família, ambas ricas em frutos. Hoje tenho o prazer de apresentar sua obra.

---

* Leandro Karnal é historiador e doutor em História Social pela Universidade de São Paulo. É autor de mais de dez livros como *Pecar e Perdoar* (Harper & Collins), *Felicidade ou Morte* (Papirus) e *História dos Estados Unidos* (Contexto). Colunista fixo do jornal "O Estado de São Paulo", colunista da TV e da rádio Bandeirantes e professor de História na Unicamp.

O livro de Dante é fruto de uma paixão pela leitura e de uma experiência. Talvez por viver cercado de médicos na UNIFESP, talvez pela sua índole prática, ele buscou na literatura algo além da erudição ou da fruição do texto em si. O autor explorou uma experiência de transformação pessoal com os livros.

A obra que você está prestes a descortinar apresenta um viés original e intenso. Ela é um desejo de trazer o fogo do conhecimento para um público amplo e transformá-lo. Há um impulso de Prometeu na intenção de Dante. Prometeu tem carinho pelos homens que vagam pelo mundo. Sabe que passam frio e fome. Ao trazer o fogo divino, tem noção do poder transformador daquilo que faz. O fogo, óbvio, é a riqueza incalculável da literatura; o objeto somos nós, os que deambulam possuidores de razão mas destituídos da clareza que obras clássicas podem conferir. O autor desejou, pessoalmente, que houvesse um incêndio pessoal e social, que as obras pudessem ser usadas com a sabedoria socrática do conhecimento de si e da transformação do todo. Dante quer trazer esta luz.

Literatura é remédio e é resistência. Remédio claro, pois tenta nos restituir a saúde da reflexão e nos retirar da melancolia da irrelevância, da banalidade do ser, da falta de sentido e de pensamento que se tornaram gêmeos xifópagos do cotidiano líquido contemporâneo. Literatura de alto padrão e bem lida é um combate à infecção grave do nosso mundo doente e violento.

Literatura é uma resistência. Cada leitor ergue sua La Rochelle contra o arbítrio do senso comum. Na era das platitudes absolutas, Dante lembra que ler é um ato revolucionário. Nazistas queimaram livros, com a consciência do poder de um bom texto contra a barbárie que propunham. Dante quer que o livro seja preservado e queima a consciência dos leitores com o fogo libertador da consciência. Livros, quando não queimados por ditadores, incendeiam leitores.

A proposta não é um chá aristocrático com leitores. A ideia dos experimentos da mente inquieta de Dante é que a leitura revele seu poder, libertador e perturbador, de outras possibilidades e de ruptura da mesmice. A ideia é o horizonte, a contestação por contemplar além. O LabLei, o Laboratório de Leitura, é um ato de coragem, de adensamento. Num volume de Homero ou de Shakespeare estão as personagens, o vocabulário, o enredo, as situações que confrontam cada leitor como parte integrante da aventura e que ajudam o processo de consciência que só pode ocorrer quando um leitor generoso e atento encontra um autor talentoso e denso. Então eu leio e sou lido, percorro e sou percorrido, descubro e sou descoberto. Então ocorre o processo de questionamento que pode trazer tanta coisa nova ao revelar camadas antigas de mim. Tudo se rearranja. O custo disto? Ter a coragem e o método de enfrentar um volume paciente e silencioso na estante. Ele só poderá falar se aberto o livro físico ou acessado o virtual. Independentemente do suporte, o texto falará.

Em crônica para o "Estadão" (02/10/2016) resumi algo similar ao que Dante trata na obra:

> Li muitos livros. Porém, apenas duas dúzias deles trouxeram uma luz ao final que, aportando o barco da consciência à página derradeira, percebia-me atônito, feliz, impactado e, algumas vezes, mudo entre lágrimas. As ideias haviam mudado de lugar. Fechado o livro, eu era outro. Tinha sentimentos variados como raiva, amor, emoção. Uma parte minha se rebelava porque o escritor genial me arrancara de um nicho e me jogara ao vazio, ironizando minha percepção rasa da existência. Outra parte pensava que a vida valia a pena por ter chegado consciente ao momento daquele livro nas minhas mãos.

Com o tempo e com sorte, você chegará à conclusão de outro grande amante de livros, o duque Próspero da *Tempestade* de Shakespeare:

somos feitos da mesma matéria dos sonhos. Aprendi a sonhar com livros. Que eu continue sonhando depois de tantas décadas é parte do milagre que Dante Gallian descreve de forma bela e linear na obra que você inicia. *Sapere aude*! Ousem saber. Ousem ler. Comecem a aventura.

A LITERATURA COMO REMÉDIO

— — — —

OS CLÁSSICOS E
A SAÚDE DA ALMA

Àqueles que, antes e para além da literatura e do Laboratório de Leitura,
são meu remédio, meu refúgio e minha força:
Beatriz, Theresa, Felipe, Mariana, Thiago e Rafael.
Todos eles, aliás, participantes do mesmo remédio.

Ao amigo, parceiro, colaborador, que comigo esteve desde o nascedouro do Laboratório de Leitura:
Rafael Ruiz.

Agradecimentos

Em primeiro lugar quero agradecer àqueles a quem dedico este livro: minha esposa Beatriz e meus filhos Theresa, Felipe, Mariana, Thiago e Rafael, que estiveram e estão sempre presentes, seja na vida, seja no Laboratório e também na escrita e leitura deste livro; ao meu amigo-irmão Rafael Ruiz, que além de partícipe de todo o processo aqui descrito, também foi meu grande interlocutor e leitor atento dos "manuscritos".

Quero agradecer também a todos aqueles participantes anônimos que tiveram suas histórias e testemunhos aqui reproduzidos e a todos que, havendo participado do Laboratório de Leitura, ajudaram a realizar esta aventura, principalmente os anfitriões dos grupos domiciliares: Alessandra e Renato Guimarães, Tatiana e Rodrigo Vella.

De forma muito especial, quero agradecer a todos aqueles que fazem (ou fizeram) parte do grupo de formação de coordenadores do LabHum/ LabLei que, através de suas contribuições e críticas, aportaram elementos essenciais não só para o desenvolvimento deste livro, mas para a evolução do Laboratório de Leitura como um todo. Muitos dos insights para a compreensão do LabLei surgiram nos encontros do Laboratório de Coordenadores.

Agradecimentos especiais ao Alexandre Seraphim, que compartilhou dados de sua pesquisa sobre a aplicação do LabLei na Natura e à diretoria e toda equipe do ISE/IESE Business School, em especial Paulo Carelli e Pedro Matta.

Agradeço também aos amigos e parceiros Luiz Felipe Pondé, que participou do nascedouro do projeto de pesquisa sobre o Laboratório na UNIFESP, e Leandro Karnal, que, consciente do poder humanizador e curativo da grande literatura, generosamente se prontificou a escrever o prefácio.

Aos amigos da Editora Martin Claret, pela confiança e excelente trabalho. Ao Márcio Faustino e Daniela Gutierrez, por todo entusiasmo, e, por fim, a todos aqueles que, com seu apoio silencioso e humilde, permitiram que este livro viesse à luz.

prefácio à 2ª edição

Depois de 20 anos comprovando o poder despertador e mobilizador dos livros, confesso que, por mais que nunca tenha deixado de me emocionar, dificilmente me surpreendo com o incontável número de testemunhos que ouço ou recebo por escrito sobre as transformações que a experiência literária provoca nas pessoas. Entretanto, não poderia imaginar que um livro como *A Literatura como Remédio*, um relato de experiência sobre o poder da literatura na vida das pessoas, suscitaria tamanho interesse e demandaria uma nova edição, apenas cinco anos depois da sua publicação. Desde maio de 2017, já foram duas as reimpressões. E agora, quando escrevo estas linhas, a editora me comunica que quase já não há mais exemplares em estoque. Não deixa de ser surpreendente que para um país onde, reconhecidamente, pouco se lê, um livro sobre o poder da leitura esteja sendo tão lido. Este me parece ser um dado auspicioso não só para o autor do presente livro, mas para todos aqueles que acreditam no poder transformador e humanizador da literatura.

O grande interesse que *A Literatura como Remédio* despertou no público leitor se deve, contudo, não tanto por ser um livro que fala sobre o poder terapêutico dos clássicos, mas, acredito, por apontar um caminho muito peculiar para lê-los: aquele da "leitura feliz" e compartilhada — algo extremamente revolucionário e disruptivo num mundo marcado pela depressão, pelo isolamento e pela solidão. De fato, desde o seu lançamento, este livro suscitou um interesse crescente na metodologia do Laboratório de Leitura, aproximando milhares de pessoas dos ciclos realizados na Casa Arca e em outros espaços, assim como atraiu dezenas para os cursos de formação de coordenadores que desde então vêm acontecendo anualmente e que já formaram "lableianas" e "lableianos" de todas as partes do Brasil.

Hoje são muito(a)s o(a)s coordenador(a)s que vêm aplicando a metodologia do LabLei nos mais diversos contextos e cenários como escolas, instituições, empresas, universidades, ONGs, entre outros. E mesmo a difícil e traumática experiência da pandemia da Covid-19, fonte de tantas tragédias, constitui-se, paradoxalmente, como um fator dinamizador e ampliador do LabLei.

Adaptando-se aos recursos tecnológicos propiciados pelas plataformas digitais de transmissão a distância, o Laboratório de Leitura atingiu um público inimaginável nos tempos pré-pandemia, e isso propiciou a difusão da metodologia de uma forma excepcional, chegando inclusive para além das fronteiras nacionais. No meio da "peste", a literatura se mostrou um remédio mais necessário e eficaz do que nunca.

Nestes cinco anos de existência, *A Literatura como Remédio* me deu muitas alegrias, porém, a maior delas foi, sem dúvida, a oportunidade de conhecer pessoas que de mim se aproximaram por causa dele. Dentre elas, gostaria de destacar uma que, inclusive, teve um papel importantíssimo para esta segunda edição: Ricardo Mituti. Jornalista de profissão, Ricardo me procurou para me entrevistar sobre o livro poucos dias depois do seu lançamento. Foi um acontecimento *aesthetico*. Desde então, Ricardo se tornou meu grande amigo, assessor, orientando, revisor, conselheiro, além de parceiro e coordenador de LabLei formado pelo Curso da Casa Arca. Conhecendo como ninguém a metodologia e os caminhos mágicos do LabLei, confiei-lhe a leitura e revisão crítica para a elaboração desta segunda edição. Graças à sua generosidade e competência, o leitor(a) irá encontrar aqui uma narrativa não só atualizada, mas mais "limpa" e fluida.

A ele, aos novos coordenadores e coordenadoras de LabLei e a você, leitor e leitora interessado(a) em desbravar o incomensurável universo da leitura feliz, compartilhada e humanizadora dos clássicos, dedico esta segunda edição.

Dante Gallian
São Paulo, 28 de outubro de 2022 (véspera do Dia Nacional do Livro).

"Creia-me vossa mercê e, como já lhe disse, leia esses livros, e verá como lhe desterram a melancolia e lhe melhoram a condição, se acaso a tiver má. Eu de mim sei, que depois de me ter metido a cavaleiro andante, sou bravo, comedido, liberal, bem-criado, generoso, cortês, audaz, brando, paciente, sofredor de trabalhos, de prisões, de encantamentos, e ainda que há tão pouco tempo me vi metido dentro de uma jaula, como se fosse doido, espero, pelo valor do meu braço, ser dentro de poucos dias rei de algum reino, onde possa mostrar o liberal agradecimento que o meu peito encerra."

(Miguel de Cervantes,
O Engenhoso Fidalgo D. Quixote de La Mancha)

"Avançávamos silenciosos, arrebatados, como num sonho. E, numa curva do caminho florido, surgiram duas moças que passeavam, lendo. Não me lembro se eram bonitas ou feias, lembro-me apenas de que uma era loura e outra morena, e as duas usavam blusas primaveris.

E, com a ousadia que temos nos sonhos, nós nos aproximamos e você disse a elas, rindo: 'O que quer que estejam lendo, falaremos sobre isso e nos deleitaremos!'

Elas liam Górki. E nós começamos a falar muito rapidamente — porque tínhamos pressa — sobre a vida, sobre a pobreza, sobre a rebeldia da alma, sobre o amor..."

(Nikos Kazantzákis,
Vida e Proezas de Alexis Zorbás)

Prólogo ao leitor extremamente ocupado

"Desocupado leitor..." É assim que Miguel de Cervantes iniciava o prólogo de uma das mais célebres obras literárias da história universal: *O Engenhoso Fidalgo D. Quixote de la Mancha*. Quatrocentos anos depois, neste mundo marcado pelo imediatismo e pelo produtivismo, fico pensando se ainda seria possível iniciar um livro fazendo um convite ao "desocupado leitor" de Cervantes... Pois, na verdade, hoje estamos todos tão extremamente ocupados... Extremamente ocupados e extremamente apressados, como o narrador que encontra aquelas moças em vestidos primaveris e que leem Gorki no trecho de *Vida e Proezas de Alexis Zorbás*, em epígrafe na página anterior.

Esta pressa e esta azáfama têm, mais que nos ocupado, nos preocupado extremamente e, em última análise, nos desumanizado e nos adoecido. E como os que estão doentes precisam de remédio, passo, rapidamente — porque nos falta tempo — a falar sobre o porquê deste livro.

Este livro fala sobre um remédio; um tipo muito especial de remédio. E também sobre a sua aplicação, em um tipo muito especial de experimento.

O remédio é, como veremos, muito, muito antigo. Foi descoberto ou inventado ainda na aurora da humanidade e, ficando às vezes meio esquecido, precisa ser constantemente resgatado, para que essa mesma humanidade não adoeça mortalmente.

Quem nunca experimentou, algum dia, os seus efeitos benfazejos?

Eu mesmo me lembro o quanto o desejava e esperava, ansiosamente, quando minha mãe, às vezes meu pai, ou mesmo meu avô, vinham administrá-lo à noite, antes de dormir...

Sim, não cabe mais fazer mistério: esse remédio são as histórias. As narrativas que, algumas vezes, brotam da imaginação fértil, outras das coisas efetivamente ocorridas e reinventadas e, na maioria, dos livros clássicos de contos infantis.

Chamo de remédio porque desde a mais tenra infância essas histórias eram o que enchiam a alma, quebravam a rotina dos dias cinzentos, abriam as portas para outras dimensões e patamares da realidade. Divertiam, encantavam, ensinavam e, mesmo quando eram amargas e tristes (pois é próprio do remédio às vezes ser amargo), sempre faziam bem.

Com o passar do tempo, entretanto, e as demandas da vida — escola, trabalho, etc. — vamos nos afastando desse maravilhoso remédio, fortificante da alma. No contexto do mundo moderno, aliás, passaram a acreditar que tal remédio é não só dispensável, mas até prejudicial, pois ficção, fantasia, sonho nos distrai da "realidade", determinada pelas coisas "reais", sérias, produtivas. Mas então, quando começamos a sentir os sintomas de um tipo muito particular de adoecimento, nos damos conta da sua falta e nos lembramos dos seus efeitos. Será? Nem sempre.

Na verdade, às vezes esse afastamento dessas "fontes da vida" que são as histórias (é assim que as evoca Michael Ende em *A História sem fim*)[1] pode ser tão radical que corremos o sério risco

---

[1] ENDE, M. *A História sem Fim*. Trad. Maria do C. Cary. São Paulo, Martins Fontes, 2013.

de esquecê-las totalmente. E então os efeitos são devastadores.

"Nossos tempos estão desnorteados", dizia o Hamlet de Shakespeare,[2] há também quase quatrocentos anos. De lá para cá, esse desnorteamento aumentou e a humanidade, na mesma medida em que encheu a terra de conquistas e mazelas da ciência e da tecnologia, se viu esvaziada no território da alma, do sonho, do mundo interior. E nesse esvaziamento desumanizador, que tantas e tantas patologias tem provocado, homens e mulheres procuram desesperadamente remédios que lhes devolvam a saúde perdida.

Este livro conta também a história de um acontecimento; de uma descoberta inusitada, que acabou por redescobrir este remédio e inventar um meio de reintroduzi-lo na humanidade. É apenas um dos muitos jeitos que têm sido encontrados atualmente, mas frente ao impacto e os efeitos que vem produzindo, achei que valia a pena contar sua história, descrever sua dinâmica e mostrar o que tem conseguido fazer com as pessoas que dele participam. Este acontecimento chama-se Laboratório de Leitura (também apelidado de

---

[2] SHAKESPEARE, W. *Hamlet*. Ato I, cena I. Trad. Millor Fernandes. Porto Alegre, L&PM, 1997.

LabLei), um experimento que surgiu na universidade, curiosamente numa escola de medicina, há mais de uma década e que, desde então, vem crescendo e se desenvolvendo por cenários cada vez mais amplos, envolvendo e impactando um número cada vez maior de pessoas.

Este livro, portanto, é resultado de um encontro de histórias: da história deste remédio especial que é a literatura; da história deste acontecimento/ experimento que é o Laboratório de Leitura; da história daqueles que descobriram, inventaram e desenvolveram este acontecimento/experimento; da história das pessoas que participaram e continuam participando deste acontecimento/ experimento e tiveram suas vidas afetadas por ele.

Começarei, assim, contando um pouco da minha própria história, para depois contar a história do remédio e do experimento, para, por fim, contar a história dos seus efeitos por intermédio das histórias das pessoas. Estas últimas, eu as fui recolhendo ao longo dos anos, seja pelas anotações que fui fazendo em meu "caderno de campo", no decorrer dos encontros do Laboratório de Leitura, seja pelas gravações digitais destes mesmos encontros, seja pelos relatos escritos de experiência que muitos participantes do LabLei foram produzindo, seja pelas entrevistas realizadas com estes mesmos participantes por meio da metodologia da História Oral de Vida — procedimento que venho utilizando como um meio de pesquisa qualitativa no âmbito acadêmico e que consiste em gravar um relato autobiográfico do entrevistado, norteado por perguntas de corte relacionadas com o tema de interesse do projeto, e que depois é transcrita e transcriada (transposta do código oral para o escrito), a fim de ser utilizada como fonte de análise.[3]

Na confluência, portanto, de uma narrativa histórica com um trabalho de pesquisa e análise, este livro procura lembrar o grande poder que esse antigo e extraordinário remédio que é a literatura (especialmente a literatura clássica) tem na recuperação da saúde existencial da humanidade e, também, o quanto se pode dinamizar e potencializar este remédio por meio de um acontecimento/experimento passível de ser aplicado nos mais variados cenários e ambientes humanos, que é o Laboratório de Leitura.

Termino este prólogo fazendo um convite; não mais ao "desocupado" leitor de *Dom Quixote* de Cervantes, mas ao extremamente ocupado leitor desses nossos tempos desnorteados, para

---

[3] Cf. BOM MEIHY, J. C. Sebe; HOLANDA, F. *História Oral: como fazer, como pensar*. São Paulo, Contexto, 2007.

que dedique um tempo — não muito, afinal são pouco mais de 200 páginas o que encontrará pela frente — na esperança de que aqui encontre não uma receita, mas pelo menos uma sugestão de como recuperar sua saúde existencial. Asseguro-te, ocupado e apressado leitor, que, para muitos, foi e tem sido um remédio altamente eficaz. *Vale.*

1 | A história de um experimento laboratorial

AO ENCONTRO DO DESEJADO INSUSPEITO

Não deixa de ser curioso e ao mesmo tempo sintomático que o Laboratório de Leitura tenha surgido numa escola de medicina, num ambiente repleto de laboratórios e experimentos científicos, onde os livros, há muito, cederam espaço para os tubos de ensaio e equipamentos eletrônicos ultrassofisticados. Ao revistar, entretanto, os eventos que envolveram o aparecimento deste peculiar Laboratório, é possível perceber a combinação de forças e elementos que atuaram e propiciaram esta experiência.

Tendo me formado em história pela FFLCH da USP, onde também fiz meu mestrado e doutorado, ingressei na carreira acadêmica com o firme propósito de exercer, da forma mais convencional possível, o ofício de historiador e professor de história, de preferência num departamento de história de uma universidade pública, onde poderia conciliar idealmente a pesquisa e o ensino.

Concomitantemente com o período de especialização da minha formação, ou seja, durante a fase de mestrado e parte do doutorado, desempenhei a função de professor em instituições privadas de ensino fundamental, médio e superior, sendo que, muito rapidamente, fui focando e logrando concentrar minhas atividades no âmbito universitário.

Trabalhei em algumas escolas pouco prestigiosas e, com o tempo, em outras muito mais afamadas, sempre em cursos muito diversos, desde turismo a arquitetura, passando por publicidade e comunicação; ministrando disciplinas também muito diversificadas, desde "Estudos Brasileiros" a "História da Industrialização e do Desenho Industrial". Até então, entretanto, não havia ainda conseguido ensinar História num curso de História, minha maior ambição.

Eis que então, no ano de 1992, poucos meses depois de haver casado, de haver obtido o título de mestre pela USP e poucos dias depois de haver iniciado o doutorado, surgiu aquela que para mim parecia ser a grande oportunidade da minha vida: um concurso para professor de História da Cultura no Departamento de História do Centro de Filosofia e Ciências Humanas da Universidade Federal de Santa Catarina, em Florianópolis.

Tendo passado pelas agruras próprias de um concurso desta natureza, fui chamado, alguns meses depois, para assumir o cargo de docente naquela universidade, o que implicou grandes mudanças em minha vida, a começar pelo local de residência.

O novo emprego representava a concretização de um sonho: a conciliação da docência com a pesquisa, na área específica que tinha escolhido, num cenário que remetia às imagens de paraíso tropical. A experiência concreta da vida, entretanto, como foi acontecer, mostrou uma realidade bastante diferente daquela esboçada no sonho. Não só porque não imaginava a dificuldade de adaptação de um paulistano criado no desvario da megalópole numa pacata e insular localidade, mas também e principalmente porque as expectativas em relação à pesquisa e à docência num departamento de História de uma universidade pública mostraram ser bem ilusórias. E isto porque, principalmente, os alunos não correspondiam às minhas idealizações. Curiosamente, estes pareciam escolher o curso de história não por questões historiográficas, mas por motivos mais bem existenciais; ou seja, buscavam na História respostas aos seus próprios dramas sociais e individuais.

O que num primeiro momento foi algo desconcertante para mim, levou-me, entretanto, a uma séria e interessante reflexão. Comecei a perceber que, efetivamente, os questionamentos trazidos pelos alunos eram bem mais interessantes e necessários do que aqueles que a mentalidade acadêmica postulava. O interesse na temática da formação humanística ou, mais especificamente, humana, algo que (mais tarde reconheci) sempre havia me interessado mas que a aculturação ideológica sofrida em meus anos de USP havia em certa medida solapado, emergiu então com grande força.

De pronto, novas ideias e novos propósitos começaram a se esboçar em meu horizonte, tanto de professor como de pesquisador. Entretanto, logo no início desse processo de *conversão*, foi possível verificar os obstáculos e preconceitos levantados pelo universo acadêmico, sobretudo naquelas paragens das Ciências Humanas, onde toda referência ao humano e ao humanismo (seja ele de que tipo que fosse) gerava suspeita.

Isso, entretanto, não me desanimou, e já estava inclusive disposto a comprar a briga necessária e inevitável. O destino, por outro lado, criador de anedotas, já fazia sua parte, delineando um outro campo onde, inusitadamente, poderia levar adiante meus sonhos e projetos educacionais com muito mais amplitude e liberdade.

Depois de cinco anos trabalhando como professor na Universidade Federal de Santa Catarina, comecei a vislumbrar a possibilidade de retornar para São Paulo. E tal vislumbre tornou-se concreto quando recebi o convite para assessorar a reestruturação do Museu Histórico da Escola Paulista de Medicina (EPM) da Universidade Federal de São Paulo (UNIFESP).

Trabalhando em regime de cooperação técnica, mantendo meu vínculo em tempo parcial na UFSC, pude ir me familiarizando com um campo acadêmico bastante diferente, porém especialmente interessante e que começava a se abrir e a demandar propostas educacionais de caráter humanizador. Identifiquei neste novo trabalho, portanto, uma oportunidade providencial.

Minha função, a princípio, era a de assessorar tecnicamente o então diretor do Museu da EPM, com vistas à criação de uma nova e moderna exposição e à estruturação de um arquivo histórico, munido de um sistema de catalogação e consulta para pesquisadores. Familiarizando-me, entretanto, cada vez mais com a instituição e com o campo das ciências da saúde, suas especificidades e dilemas, fui concebendo um projeto que, sem deixar de atender à demanda pela qual havia sido chamado e, inclusive, partindo dela, pudesse conciliar anseios pessoais e necessidades institucionais mais abrangentes.

Nasceu assim a ideia do Centro de História e Filosofia das Ciências da Saúde (CeHFi), que, além de encampar o Museu e o Arquivo Histórico da EPM-UNIFESP, contemplaria atividades de pesquisa e ensino no âmbito das humanidades em interface com as ciências da saúde, visando particularmente a formação humanística neste campo.

Num contexto em que a temática da formação humana e da humanização em saúde começava a despontar como objeto de programas e de políticas públicas e educacionais, a proposta da criação de um centro com tais características e abordagem foi muito bem acolhida nas diversas instâncias acadêmicas da EPM e, em 1999, o CeHFi era aprovado pelo Conselho Universitário como Órgão Complementar da UNIFESP.

Tal evento definiu meu destino. Frente à impossibilidade de renovação da cooperação técnica e da transferência ou redistribuição como docente da UFSC para a UNIFESP, apoiado pelo então reitor desta universidade, pedi desligamento da Federal de Santa Catarina e fui contratado como assessor pela fundação que mantinha o Hospital da EPM, o Hospital São Paulo. Apenas três anos mais tarde, com a atribuição de uma vaga docente para o CeHFi e a respectiva abertura de concurso, pude reingressar na carreira pública federal. Neste meio tempo, entretanto, não apenas pude concretizar o projeto de reestruturação do Museu e a criação do Arquivo Histórico, como também dar início a atividades educacionais que redundariam em algo que eu não podia sequer suspeitar na ocasião.

O LABORATÓRIO DE HUMANIDADES DA EPM-UNIFESP

Concomitantemente ao desenvolvimento do projeto de reestruturação do Museu e do Arquivo Histórico, uma vez aprovada a criação do CeHFi, iniciei minha atuação no âmbito educacional estruturando e oferecendo uma disciplina eletiva para a graduação médica: História da Medicina.

Contando com a participação de outros docentes do curso médico que também se interessavam pelo tema, visava, desta forma, introduzir as temáticas humanísticas e discutir a importância da formação humana na área médica. Entretanto, mais uma vez, deparei-me com uma realidade um tanto quanto frustrante: alunos passivos que assistiam à projeção de slides dos grandes vultos e temas da história médica como uma sessão de sonoterapia. Diante disso, logo percebi a urgência de reestruturar a dinâmica das aulas, e aqui as experiências aprendidas e compartilhadas no campo das ciências humanas acabaram por ser muito proveitosas.

Já na segunda versão da disciplina, em vez de aulas expositivas, decidi selecionar pequenos textos ou mesmo trechos de obras clássicas da história médica — de Hipócrates, Galeno, Avicena, Paracelso, Harvey, Bernard, etc. — que eu distribuía e lia junto com os alunos ao início de cada aula. Uma vez lidos os trechos, pedia para que eles tecessem seus comentários, dando início assim a uma discussão.

No começo foi penoso, pois não estando acostumados a uma dinâmica assim tão participativa, os alunos se sentiam intimidados, com receio de expor suas opiniões que, segundo eles mesmos, podiam estar "erradas"; podiam ser grandes besteiras que os exporiam ao ridículo diante do professor e, principalmente, dos demais colegas. Assim, nas primeiras aulas nesta nova dinâmica, era necessário enfrentar longos minutos de impasse total, à espera que algum aluno se encorajasse e rompesse o silêncio.

Com a devida paciência e perseverança, no entanto, as resistências e a timidez foram sendo vencidas e, aos poucos, a participação começou a crescer, até com certo vigor e entusiasmo. Ao verem que suas opiniões e observações não eram assim tão descabidas e até muito pelo contrário, cada vez mais os alunos começaram a se aventurar e, inclusive, começaram a ... gostar daquilo! Começaram não só a apreciar ouvir o som de suas vozes na sala de aula — lugar onde até então não tinham tido muito oportunidade de ouvi-las —, como também começaram a perceber que conseguiam pensar a respeito de muitos assuntos, admirando-se de se verem capazes de ter opiniões, de confrontá-las e de repensá-las à luz da discussão com os colegas e o professor.

E assim, aquilo que a princípio parecia uma sessão de tortura, ao cabo de meia dúzia de encontros acabou, pelo menos para uma parte significativa daqueles alunos, tornando-se uma experiência interessante, desafiadora e prazerosa. Tanto que, ao término do curso, um grupo de quatro alunos me procurou, questionando se não era possível continuarmos a realizar encontros daquela natureza em um horário extraclasses.

Segundo eles, sendo a formação na escola médica eminentemente técnica e científica, um exercício como aquele, de leitura e reflexão, sobretudo de temas que diferiam dos temas técnicos e científicos, apresentava-se para eles como uma oportunidade de pensar e falar sobre questões humanas.

Foi assim, então, que surgiu o embrião do que mais tarde seria o Laboratório de Humanidades. Corria o ano de 2001. Uma vez por semana, nas sextas-feiras, entre 12 e 13:30 horas, enquanto muitos estavam comendo seus sanduíches e maçãs, conversávamos sobre textos que de comum acordo escolhíamos e que eram lidos ao longo da semana. Eram, em geral, textos pequenos: ensaios filosóficos, em sua maioria; alguns artigos de jornal que um dos cinco ou seis integrantes do grupo trazia.

Eis que certo dia, no âmbito dessa dinâmica muito livre e experimental, um dos participantes (aluno do curso biomédico, pois a esta altura o grupo começou a se abrir para participantes de outros cursos do campus e o seu número começou a crescer) sugeriu a leitura de um texto literário: *Antígona*, de Sófocles. A sugestão agradou a todos e despertou curiosidade sobre como se daria a discussão de um texto ficcional, ainda mais uma tragédia grega.

A experiência concreta daquele encontro, entretanto, superou qualquer expectativa. O impacto da leitura em cada um do grupo e a qualidade da discussão que se desencadeou, suscitando temas e questões de grande profundidade e pertinência, foi algo que surpreendeu e agradou a todos. Vimos então que apenas um encontro para falar de tudo o que aquela leitura tinha suscitado era pouco. Decidimos continuar na semana seguinte e assim também na outra e na outra!

A partir de então, ficamos convencidos que continuaríamos lendo e discutindo preferencialmente textos literários, pois começamos a perceber o grau de envolvimento que as narrativas ficcionais promoviam, desencadeando inclusive não apenas grandes temas de reflexão, mas também afetos e sentimentos que podiam ser expressados e compartilhados nas reuniões do "Grupo de Sexta", como então começamos a chamar esses encontros.

A esta altura dos acontecimentos (já estávamos em 2003), juntou-se ao Grupo o Professor Rafael Ruiz, que nos últimos anos vinha realizando uma experiência muito semelhante com os alunos do curso de História da FFLCH-USP, onde até então vinha exercendo o cargo de docente substituto na disciplina de História da América. O encontro inusitado e o compartilhamento de experiências e resultados muito semelhantes a partir deste trabalho com a literatura potencializou o interesse de ambos e determinou a decisão de investir com ainda mais empenho naquele experimento. A partir de então, o Prof. Ruiz passou a participar de todos os encontros do Grupo e tornou-se meu grande interlocutor na reflexão sobre aquilo que estávamos vivendo. Isso porque éramos, ao mesmo tempo, promotores, coordenadores e sujeitos da experiência, pois experimentávamos os efeitos daquele *acontecimento* em nossas próprias vidas. E que experiência fantástica, libertadora, amplificadora começamos então a viver!

Em primeiro lugar, começamos a desenvolver uma rotina e sistemática de leitura de textos literários, coisa que eu, pelo menos, nunca até então tinha experimentado — pois apesar de sempre ter lido muito, especialmente depois do período de formação universitária, esta leitura vinha sendo eminentemente técnica, de livros de não ficção, no campo da história e das ciências humanas em geral. De repente, me vi acompanhado de um livro de literatura, de uma narrativa ficcional, que começou, primeiro, a preencher meus momentos ociosos e, depois, pouco a pouco, a roubar o tempo antes dedicado a outras leituras e outras atividades. Isso porque começava a descobrir, juntamente com os participantes do Grupo, o grande prazer e o grande consolo que é o poder viajar e se refugiar, por breve intervalo de tempo que seja, no universo paralelo que uma narrativa ficcional nos franqueia. E, para além disso, a incrível oportunidade de contar com um tempo e um grupo de pessoas com quem poder compartilhar os sentimentos, as ideias e os questionamentos que a leitura pessoal nos proporciona. Que sentimento de alegria e privilégio começamos a sentir então... E passamos a esperar com ansiedade esses encontros de sexta-feira na hora do almoço, quando podíamos nutrir nossas almas de alimentos consistentes e fortificantes. Como era bom (e continua sendo) poder falar e também poder ouvir o que os outros sentiram e pensaram sobre o livro que todos estão lendo e, a partir dessas leituras compartilhadas, refletir e discutir sobre temas interessantes, que nos tocam e dizem respeito a aspectos fundamentais de nossa existência. E como coroamento de toda essa revolução que experimentávamos, na descoberta da literatura e da leitura compartilhada, a possibilidade de, ao término dos cada vez mais breves encontros de 90 minutos semanais, continuarmos e ampliarmos a reflexão, Prof. Rafael Ruiz e eu, sobre os efeitos de toda essa experiência nos participantes do Grupo e em nós mesmos.

Começamos então a perceber e avaliar o que mais tarde denominaríamos *impacto humanizador* daquela experiência e a nos perguntar o que efetivamente ocorria e o porquê disto; quais os elementos, as forças atuantes que determinavam tais efeitos.

Algumas pistas, relativas à experiência estética, ao efeito afetivo e transformador da arte, da literatura, começaram a se esboçar em nosso horizonte reflexivo. Ao mesmo tempo, seja como forma de compreender melhor o fenômeno, seja como meio de melhor sistematizar a experiência, começamos também a procurar uma dinâmica que, intuíamos então, parecia estar implícita no interior mesmo do acontecimento. Em outras palavras, passamos a delinear uma metodologia que emanava da própria experiência e que, em certa medida, era demandada por ela.

Foi neste contexto, então, que a grandeza e a seriedade daquilo que estávamos propiciando, e que começava a ganhar um corpo metodológico e uma sistematização acadêmica (nesta altura já vislumbrávamos a necessidade de oficializar aquele experimento universitário pelo menos enquanto atividade de extensão), mereceu ganhar também um nome.

À medida em que a experiência amadurecia e se tornava mais conhecida, atraindo cada vez mais estudantes, as situações de estranhamento e incompatibilidade com as demandas oficiais e curriculares começaram a surgir. Muitos alunos participantes do Grupo eram questionados do por que estarem carregando livros de Dostoiévski, Shakespeare ou Cervantes entre seus manuais de Biologia Molecular ou Anatomia Descritiva; ou do por que não estarem frequentando a Liga de Gastrenterologia ou o Laboratório de Neuroendócrino, para gastarem o tempo conversando sobre livros!

Diante desta situação, que inclusive, a médio ou mesmo a curto prazo, poderia significar o esvaziamento e o próprio fim daquela atividade, e, ao mesmo tempo, a percepção crescente da sua importância no âmbito da formação humanística dos estudantes da área da saúde, resolvemos não apenas credenciá-la oficialmente, como também batizá-la com o nome de Laboratório de Humanidades.

Pelo menos daquela forma, os estudantes que escolhessem prescindir do estágio num dos laboratórios biomédicos podiam justificar-se dizendo que haviam preferido estagiar em outro laboratório: o Laboratório de Humanidades, logo apelidado carinhosamente de LabHum.

O LABORATÓRIO DE HUMANIDADES (LABHUM) E O TEMA DA HUMANIZAÇÃO EM SAÚDE

Todo esse processo de experimentação, reflexão e sistematização metodológica do nascente Laboratório de Humanidades (LabHum) ocorreu num contexto em que a temática da humanização começava a despontar com força no âmbito da saúde. No mesmo ano do nascimento do LabHum, 2003, instituiu-se a PNH, Política Nacional de Humanização, resultado de uma série de iniciativas e programas que vinham sendo desenvolvidos desde a década anterior e que procuravam promover e organizar as boas práticas e o atendimento humanizado no âmbito do Sistema Único de Saúde, o SUS.

Na mesma direção, a nova Lei de Diretrizes e Bases da Educação, também aprovada nessa época, indicava, principalmente nos cursos da área da saúde e, em especial, no de Medicina, a necessidade do desenvolvimento de conteúdos e abordagens de âmbito humanístico que contribuíssem para a formação humana e a humanização dos futuros profissionais da saúde.

Assim, tanto no âmbito do atendimento quanto no da educação em saúde, a temática da humanização apresentava-se como um desafio e uma diretriz política. Projetos e programas começavam a ser implementados em diversas esferas, com variados resultados, e nós, ligados a um centro de humanidades em saúde, éramos frequentemente chamados a participar de fóruns e encontros sobre o tema.

De maneira geral, observava-se, àquela altura, que as tentativas de *humanização* em diversos âmbitos do atendimento e da formação em saúde muitas vezes redundavam em resultados adversos, gerando desconfianças e má disposição nos destinatários de tais programas. Demandados pelos gestores, perplexos com os resultados de uma proposta que a princípio parecia tão boa e necessária, e intrigados nós mesmos com esta *prevenção* frente à humanização, iniciamos um trabalho de investigação de cunho qualitativo, fundamentado em abordagens metodológicas etnográficas e narrativas, que objetivava compreender o desconcertante fenômeno.

Tal investigação acabou por se constituir numa das frentes de um grande projeto de pesquisa que, financiado pela FAPESP, visava não apenas analisar as bases teóricas e a aplicação das práticas das propostas de humanização em saúde, como também refletir e avaliar o papel que as humanidades (em especial a literatura) poderiam exercer nesse empenho humanizador. O projeto, denominado *As Patologias da Modernidade e os Remédios das Humanidades: investigação e experimentação*, desenvolvido entre 2010 e 2013,[4] permitiu concluir, por um lado, que a relativa ineficácia das propostas e políticas de humanização derivava de um *equívoco antropológico* que subjazia em seus fundamentos filosóficos:

> Quase sempre, considera-se como óbvio que o que se entende por humanização seja o desenvolvimento de ações e atitudes que redundem numa melhoria das relações dos profissionais da saúde entre si e destes com seus pacientes, o que implica em maior respeito, consideração, atenção, enfim, uma maior humanidade. Neste sentido, programas de "treinamento" vêm sendo desenvolvidos, na intenção de promover "habilidades humanísticas" que serão "agregadas" às "competências técnicas" do profissional da saúde, seja na sua base educacional, seja no exercício de sua prática. Ao se analisar, entretanto, os resultados de tais abordagens ou programas, levando-se em consideração as opiniões e sentimentos dos que estão sendo treinados ou "educados", percebe-se claramente a sua ineficácia. Havendo perdido o élan com os fundamentos filosóficos e culturais humanísticos,

---

[4] Este primeiro projeto de pesquisa, base para muitos outros que viriam, contou com a participação dos Professores Doutores Rafael Ruiz e Luiz Felipe Pondé, da PUC-SP, como pesquisadores colaboradores.

essas novas propostas educacionais, nascidas no seio de uma cultura científico-tecnicista, pretendem "ensinar" ou "incutir" humanismo ou humanidade da mesma forma como ensina e incute habilidades cognitivas e técnicas. Os educandos, por sua vez, encaram todo esse processo como mais um conjunto de conteúdos e técnicas que precisam ser incorporadas, num pacote de "competências" e "habilidades" já demasiadamente pesado e exigente, que, mais do que nada, incrementa a angústia e a ansiedade. Em suma, havendo descuidado o que é ser humano para além das competências e habilidades cognitivas e técnicas, a educação contemporânea, no intuito de humanizar, acaba, muitas vezes e paradoxalmente, por contribuir para a desumanização.[5]

Ao mesmo tempo, entretanto, em que avançávamos no diagnóstico do *equívoco antropológico* que, em boa medida, explicava a ineficácia das propostas humanizadoras, o desenvolvimento da experiência com o Laboratório de Humanidades trazia-nos dados e elementos muito interessantes e alentadores sobre o potencial humanizador daquele experimento.

---

[5] GALLIAN, D. M., PONDÉ, L. F., RUIZ, R. Humanização, humanismos e humanidades: problematizando conceitos e práticas no contexto da saúde no Brasil. *Revista Internacional de Humanidades Médicas*, v. 1, n. 1, 2012, p. 8-9.

Contando então com quase uma década de experiência contínua, acumulando já dezenas de ciclos que redundaram em centenas de narrativas, depoimentos orais e escritos por parte dos participantes, interpretados agora à luz de todo um arcabouço teórico que nossa investigação sobre o tema da humanização nos muniu, foi possível vislumbrar, com suficiente coerência, a hipótese daquela que seria a segunda grande frente de pesquisa de nosso projeto. Os testemunhos sobre o impacto que a experiência do LabHum causava em grande parte dos seus participantes (fossem alunos de graduação, pós-graduação, residentes ou mesmo profissionais), determinando mudanças em sua maneira de encarar o mundo, a si mesmos e o outro — mudanças que, muitas vezes, refletiam também na sua maneira de agir, de trabalhar — apontavam claramente para o efeito humanizador que se buscava por meio de outras abordagens que, entretanto, não obtinham o mesmo resultado.

Foi assim que se configurou a outra grande frente de pesquisa do nosso projeto: a frente empírica, experimental do projeto *As Patologias de Modernidade e os Remédios das Humanidades*. Partindo da noção da humanização enquanto *ampliação da esfera da presença do ser*, conforme a ideia de Montesquieu retomada e desenvolvida por Teixeira Coelho em um ensaio sobre "A experiência da cultura",[6] identificamos na experiência do LabHum um efetivo caminho humanizador; um caminho que, como veremos mais detalhadamente a seguir, se fundamenta numa experiência estético-reflexiva e não num processo técnico-cognitivo, como é comum observarmos na maioria das propostas existentes no cenário contemporâneo.

Tal como na primeira frente do projeto, fundamentamo-nos aqui nas abordagens metodológicas de cunho qualitativo, principalmente da observação participante e da história oral de vida, para produzir e analisar, com o apoio da fenomenologia hermenêutica, as narrativas que expressam o significado subjetivo da experiência com o LabHum.

Vários trabalhos de pesquisa, em nível de iniciação científica, mestrado e doutorado, puderam então contribuir para o desenvolvimento desta frente do projeto, permitindo uma ampliação e um aprofundamento do conhecimento sobre o *fenômeno humanístico* Laboratório de Humanidades, aplicado em diferentes contextos e cenários, à luz

---

[6] TEIXEIRA COELHO, J. A (2001): "Cultura como Experiência", in: RIBEIRO, R. J. (org.): *Humanidades: um novo curso na USP*, São Paulo, Edusp, p. 65-101.

de diferentes abordagens teóricas.[7] Ao mesmo tempo, todo este processo de investigação científica contribuiu também para o aperfeiçoamento da metodologia do LabHum, a medida em que foi permitindo uma maior compreensão sobre sua dinâmica, sua forma de funcionamento e seus resultados.

DO LABORATÓRIO DE HUMANIDADES (LABHUM) PARA O LABORATÓRIO DE LEITURA (LABLEI)

A instituição do LabHum como objeto de estudo no cenário da formação humanística e da humanização em saúde determinou a abertura de um novo capítulo em sua história. Com a publicação dos primeiros estudos sobre o fenômeno, o interesse pelo LabHum cresceu não apenas dentro da EPM-UNIFESP como também em outras instituições e em outros cenários para além do campo da saúde.

---

[7] Uma visão mais panorâmica e aprofundada sobre toda essa produção científica pode ser encontrada nos artigos, teses e dissertações que se encontram disponibilizadas no site do CeHFi, no tópico produção científica: www2.unifesp.br/centros/cehfi/portal/index.php

Estudantes de pós-graduação interessados em propor e investigar novas experiências de humanização começaram a levar o LabHum para fora dos muros da universidade. E assim, ciclos do Laboratório começaram a ser oferecidos em hospitais privados e grupos terapêuticos, sempre acompanhados de estudos que procuravam avaliar o seu impacto humanizador.

Duas experiências, entretanto, foram decisivas para que este experimento humanizador transcendesse os campos estritamente acadêmico e da saúde e começasse a se desenvolver tanto no cenário do mundo corporativo quanto no da sociedade de forma mais ampla.

A primeira experiência se deu graças ao interesse que a proposta do LabHum suscitou num diretor da área de Recursos Humanos de uma grande empresa de cosméticos: a Natura. Dentro do escopo de um projeto de formação de seus funcionários, a perspectiva de uma atividade que envolvesse literatura e que visasse a humanização foi vista com entusiasmo. Dessa forma, entre 2012 e 2013, três ciclos do Laboratório foram desenvolvidos com mais de 60 líderes de vários setores da empresa, mostrando que a dinâmica do Laboratório respondia às demandas humanizadoras que emergem não só na área específica da saúde, mas também, cada vez mais, no universo corporativo.[8]

A segunda decisiva experiência se deu no âmbito da difusão cultural junto à sociedade em geral. Sendo eu convidado a ministrar, ocasionalmente, cursos da área de humanidades na Casa do Saber, em São Paulo, ao comentar com os alunos deste centro cultural sobre as atividades que desenvolvia no campo acadêmico, muitos se mostraram extremamente interessados pelo Laboratório de Humanidades. Enxergaram nesta proposta uma oportunidade única de se aproximarem dos clássicos da literatura e de encontrarem um espaço de exercício e aprofundamento da leitura.

Diante disso, apoiado pelos diretores da Casa, resolvi propor um ciclo de Laboratório ali, reproduzindo a mesma metodologia. O sucesso foi imediato e logo ao terminar o primeiro ciclo — no qual lemos e discutimos *O Retrato de Dorian Gray* —,

---

[8] Cabe destacar que esta experiência do Laboratório na Natura é objeto de uma pesquisa de doutoramento que está sendo desenvolvida, junto ao Grupo de Pesquisa Humanidades, Narrativas e Humanização em Saúde do CeHFi-EPM-UNIFESP e ao programa de pós-graduação em Saúde Coletiva do Departamento de Medicina Preventiva da EPM-UNIFESP, por Alexandre Seraphin. Muitos dos seus resultados preliminares são utilizados neste livro, principalmente no capítulo em que tratamos do impacto do Laboratório em seus participantes.

fui instado a propor um segundo, um terceiro e assim sucessivamente.

A fim de não criar confusão com a atividade que desenvolvia exclusivamente no âmbito acadêmico, com fins estritamente voltados para a humanização em saúde, resolvi batizar este outro braço extrauniversitário da atividade de *Laboratório de Leitura (LabLei);* nome que foi muito bem aceito no universo corporativo e cultural.

A esta altura dos acontecimentos, uma das participantes dos ciclos que realizava na Casa do Saber, por força de problemas de saúde, impossibilitada de sair de sua residência, mas sentindo muito não poder mais participar dos encontros, fez uma proposta interessante: que eu coordenasse um LabLei em sua casa, formado a princípio de parentes e amigos, mas que logo também foi se ampliando. Nascia assim o primeiro *Grupo Domiciliar* do Laboratório de Leitura. Tal evento se deu em 2011.

No ano seguinte, como desdobramento deste primeiro grupo, nasceu o segundo e, em 2014, já eram quatro os grupos domiciliares, reunindo em média 12 pessoas por ciclo em três diferentes residências.

Paralelamente, o Laboratório de Leitura encontrou também excelente aceitação no mundo corporativo e, depois das experiências na Natura e no HCor, novos ciclos foram e vêm sendo realizados em diversas empresas, muitas delas por meio de parcerias firmadas com a UNIETHOS e, mais recentemente, com o IESE Business School, onde além dos ciclos realizados nas atividades internas, como o MBA, outros ocorrem em atividades *in company*, atendendo empresas como Bradesco, Santander e outras.[9]

Mais recentemente, como forma de profissionalizar e garantir a sustentabilidade administrativa dos grupos domiciliares do LabLei, além de atender aos desdobramentos daí resultantes, como as Viagens Humanísticas (que conciliam a experiência do Laboratório de Leitura com viagens temáticas correspondentes) e dar melhor suporte às atividades do braço corporativo do projeto (a Responsabilidade Humanística), foi criada, em abril de 2015, a Casa Arca: Humanidades, Artes

---

9 Em sua vertente corporativa, o LabLei está inserido dentro de um projeto mais amplo, fundamentado no conceito de Responsabilidade Humanística que, ampliando e aprofundando a ideia de sustentabilidade, entende que este princípio só se completa quando compreende não apenas a relação da empresa com o meio externo, mas também interno; ou seja, com a dimensão da humanização, da formação humana de seus colaboradores. Tal conceito será melhor apresentado mais adiante, quando nos determos sobre o impacto do LabLei no âmbito corporativo.

& Ofícios, que acolhe hoje vários grupos de Laboratório e desenvolve outras atividades que visam o desenvolvimento humano.[10]

Numa sociedade cada vez mais marcada pelas patologias causadas pelo processo desumanizador característico da Modernidade, o Laboratório de Leitura desponta como um remédio possível ao apontar o caminho da saúde pela humanização; pela redescoberta e resgate do humano por meio da literatura.

---

[10] A partir de 2022 o espaço passou a ser denominado: Casa Arca: Humanidades, Literatura e Experiências.

2 | A Literatura como remédio

AS NARRATIVAS, A LITERATURA E SEU PAPEL NA HISTÓRIA DAS CIVILIZAÇÕES

Em um tempo dominado pela ciência e a tecnologia como o nosso, onde a arte em geral e a literatura em particular desempenha um papel considerado subsidiário ou mesmo dispensável (mera diversão ou entretenimento — e entretenimento dos menos estimulantes, diga-se de passagem), a afirmação de que num passado não tão distante esta mesma literatura constituía-se em elemento central na estruturação da cultura das sociedades e na formação de seus indivíduos deve soar como algo estranho.

Curiosamente, entretanto, aquilo que hoje é visto como algo de importância relativa e complementar (espécie de verniz cultural ou erudição) foi, em todas as culturas humanas, das mais primitivas às mais sofisticadas, o elemento estruturador por excelência.

Claro que, em nome da precisão científica, ao retrocedermos muito no tempo e ao ampliarmos ao máximo nosso escopo antropológico, o termo mais acertado seria narrativa, e não literatura, já que este último corresponde apenas à forma escrita da primeira — forma esta que só veio a existir muito recentemente na longuíssima história da narrativa, que na sua origem é oral, e assim segue sendo em muitos lugares e contextos, convivendo ou não com a escrita.

De qualquer forma, seja na forma oral ou escrita, as narrativas, as histórias desempenharam (e ainda desempenham, em muitas culturas) papel essencial na definição e promoção de crenças, princípios e valores das sociedades.

Em primeiro lugar, eram as narrativas que delineavam as identidades das comunidades, estabelecendo uma origem e uma trajetória especifica que as distinguiam e, muitas vezes, demarcavam seu destino histórico. O exemplo do povo hebreu é talvez um dos mais emblemáticos e conhecidos: fundamentados nas narrativas que, em certo momento de sua história, foram decantadas nos escritos que formaram os livros da Bíblia, os hebreus estruturaram sua identidade como o povo escolhido por Iahweh, depositário de uma aliança e de uma vocação histórica de alcance universal na perspectiva da salvação da humanidade. Entretanto, segundo Mircea Eliade, um dos mais importantes estudiosos das ideias e crenças religiosas da contemporaneidade, toda e qualquer comunidade de seres humanos que se tenha notícia na história possui ou alguma vez possuiu um mito de origem — uma história ou um conjunto de histórias — que demarca sua identidade, específica e, ao mesmo tempo, determina crenças, valores, princípios, ideias, práticas, costumes e instituições.[1]

Coerentemente com esta função de determinação da identidade e do ethos da comunidade, as narrativas desempenhavam também um papel essencial no processo de formação de seus indivíduos. É ainda Mircea Eliade[2] quem aponta que, nas sociedades antigas, toda a educação dos jovens, por exemplo, estava inteiramente fundamentada na recitação das narrativas sagradas ou na leitura e estudo dos textos tradicionais, quando

---

1 ELIADE, Mircea. *História das Crenças e Ideias Religiosas*, Vol I. Trad. Roberto Lacerda. Rio de Janeiro, Zahar, 2010.
2 Idem.

se tratavam de sociedades que já haviam desenvolvido a escrita.

De acordo com Werner Jaeger, autor da monumental *Paideia: a formação do homem grego*, "a história da educação grega coincide substancialmente com a da literatura".[3] Assim, na história do povo que plasmou a Civilização Ocidental, vemos como a literatura, em particular a poesia épica, apresenta-se como o elemento formativo por excelência, aquele que serve de base e referência para a edificação do homem virtuoso — o ideal e fim de toda educação helênica e, à larga, de todas as grandes civilizações que a sucederam, pelo menos no mundo ocidental.

Segundo Jaeger, é na Grécia Antiga que a educação se apresenta, pela primeira vez, como formação, "isto é, a modelação do homem integral de acordo com um tipo fixo".[4] Tipo fixo este que, por sua vez, não se identifica a princípio com uma ideia ou um conceito, mas sim com uma ou um conjunto de personagens que revelam sua maneira de pensar, falar e agir por meio de uma

---

[3] JAEGER, Werner. *Paideia: a formação do homem grego*. Trad. A. Parreira. São Paulo, Martins Fontes, 2001, p. 19.
[4] Ibid., p. 45.

trama dramática de acontecimentos plasmados numa narrativa. Assim, no processo de "formação da personalidade" do nobre ou líder aristocrático de grande parte da história da civilização grega, os exemplos e referenciais de virtude são todos extraídos dos poemas homéricos, a Ilíada e a Odisseia. Era leitura, pela recitação e pela glosa destes poemas, da consideração, reflexão e da introjeção das histórias dos heróis ali contadas, que boa parte da juventude helênica aprendia o que era o ser humano e o que era ser humano de verdade, isto é, ser virtuoso. Tratava-se, segundo Jaeger, do "efeito pedagógico do exemplo".

> Nos tempos primitivos, quando ainda não existia uma compilação de leis nem pensamento ético sistematizado (exceto alguns preceitos religiosos e a sabedoria dos provérbios transmitida via oral de geração em geração), nada tinha, como guia da ação, eficácia igual à do exemplo. Ao lado da influência imediata do ambiente e, especialmente, da casa paterna, influência que na Odisseia exerce um poder tão grande sobre as figuras de Telêmaco e Nausíacaa, encontra-se a enorme riqueza de exemplos famosos transmitidos pela tradição das sagas. Desempenham na estrutura social do mundo arcaico um papel quase idêntico ao que entre nós cabe à História, sem excluir a história bíblica. As sagas encerram todo o tesouro

dos bens espirituais que constituem a herança e alimento de cada nova geração.⁵

Tal papel formativo da literatura na Antiguidade, em especial da poesia de Homero (que segundo Platão foi o educador de toda a Grécia),⁶ fundamentada no poder do exemplo, explica-se, segundo Jaeger, pelo fato desta promover o encontro entre as dimensões estética e ética da experiência humana. Ao mobilizar, por meio de suas palavras e imagens, as forças estéticas da experiência humana, a poesia desperta (este é o significado da palavra grega *aesthesis*) e ativa a dimensão ética, moral, do ser humano, que, na visão antropológica antiga, habita dormente o coração do homem. Neste sentido, aprendemos com os gregos, desde os tempos homéricos, que "a arte tem um poder ilimitado de conversão espiritual";⁷ um extraordinário poder humanizador.

Dentre as muitas descobertas e contribuições que herdamos dos gregos, esta, sem dúvida, foi uma das mais importantes e duradouras na história da Civilização Ocidental. A educação calcada no modelo da formação pelo exemplo, e este advindo

---

5 Ibid., p. 57-8.
6 Cf. *República*, 606. Apud. JAEGER, op.cit., p. 61.
7 JAEGER, W. Ibid., p. 62.

principalmente da poesia, das histórias, das narrativas, da literatura enfim, predominou de forma quase hegemônica e não apenas no âmbito da instrução das elites, mas de praticamente todas as camadas da sociedade.

Por outro lado, é interessante notar que a outra grande corrente cultural que ajudaria a plasmar o mundo ocidental, a do judaísmo-cristianismo, apesar de trazer elementos diferentes do ponto de vista dos princípios éticos e valores morais, apresentava uma dinâmica pedagógica muito semelhante: fundamentada também na formação pelo exemplo, transmitido pelos textos sagrados.

Assim, seja por meio das gestas dos heróis homéricos, seja através dos relatos históricos e poéticos dos livros judaicos, seja através das palavras e ações de Jesus Cristo e seus apóstolos, narrados pelos evangelistas, ou, melhor ainda, seja através da confluência de todas essas fontes e narrativas, foi-se dando o processo de formação humana no âmbito da cultura Ocidental. E tudo isso em meio a inúmeras outras influências e contribuições oriundas das mais variadas origens e procedências que culminaram na configuração de uma profusão de histórias dos mais diferentes gêneros e estilos, compartilhadas nas mais diferentes idades, culturas, estamentos ou classes sociais.

A MARGINALIZAÇÃO DA LITERATURA

No contexto de todo este quadro histórico, é curioso (e importante) observar, entretanto, que, paradoxalmente, o outro grande modelo de formação que se constituiu no âmbito da cultura Ocidental e que viria mais tarde, inclusive, a desbancar o modelo tradicional fundamentado na literatura, teve a sua origem também no mesmo lugar: na Grécia — ainda que num período histórico um pouco mais tardio: na época Clássica.

Trata-se do modelo fundamentado não mais no exemplo, mas no conceito; oriundo não mais de uma narrativa, mas de uma demonstração; identificado não mais com a literatura, mas com a filosofia.

Havendo herdado, como todos os outros povos da Antiguidade, sua identidade, seus princípios, crenças e valores éticos por meio das narrativas, os gregos, entretanto, inovaram, ao procurar questionar e justificar esses mesmos princípios, crenças e valores por meio da investigação racional. Dessa forma, o estatuto de verdade das coisas, seja das coisas físicas ou das coisas metafísicas, antes encontrável e transmitido pelos textos literários, passou para o domínio do a priori ignorado e subjacente, passível de ser encontrado pelo exercício da razão investigativa e transmitido por um novo tipo de texto: o filosófico.

Inicia-se aqui a dinâmica que possibilitará, alguns séculos mais tarde, o nascimento da ciência, tal como a conhecemos e, com ela, o modelo de educação baseado no pensamento científico — processo este também responsável pelo divórcio entre a dimensão da experiência estética e a dimensão do reconhecimento ético no contexto da formação humana.

Tal processo, entretanto, não se deu de forma imediata e tampouco linear. Em seu nascimento, a filosofia ainda pouco se distinguia da literatura, sendo que a sua base e fonte de conhecimento e indagação continua sendo, em boa medida, esta última. Entretanto, já no período clássico, ao lado de uma educação humanística, destinada a formar os homens no modelo da virtude a partir das narrativas literárias, uma outra educação, de caráter mais "técnico" e "científico", começa a emergir, assumindo, com a passagem do tempo, um papel cada vez mais importante.

Durante o período da Antiguidade Tardia, assim como ao longo de toda a Idade Média, os dois modelos conviveram, às vezes de forma harmoniosa, às vezes conflituosa, porém, sempre com a preponderância do modelo tradicional, o que garantiu o prestígio da literatura como fonte de conhecimento e educação. Pode-se dizer que apenas depois da chamada revolução científica, no século XVII, começou a ocorrer também uma revolução epistemológica e educacional, que levaria ao desbancamento do modelo humanístico e a correspondente marginalização da literatura como elemento estruturador do conhecimento do mundo e da formação do homem.

De acordo com Antoine Compagnon, autor do pequeno mas brilhante *Literatura Para Quê?*, no início do século XIX, "Bonald, pensador [francês] da reação, [já] descrevia o que ele chamava de 'a guerra das ciências e das letras'".[8]

> As "ciências exatas" e as "letras frívolas" — eram os termos dele [Bonald] — disputavam o papel da moral, mas as ciências começavam a gozar de um prestígio superior: "Tudo anuncia proximamente a queda da república das letras e o domínio universal das ciências exatas e naturais", concluía Bonald...[9]

Ainda que de maneira não tão universal nem tão definitiva, a profecia de Bonald acabou por se cumprir pouco tempo depois, pois, já no começo do século XX, não apenas as ciências exatas e naturais, mas também as ciências humanas e

---

[8] COMPAGNON, Antoine. *Literatura Para Quê?* Trad. Laura T. Brandini. Belo Horizonte, Ed.UFMG, 2009, p. 26.
[9] Ibid., p. 27.

sociais impunham-se como os meios legítimos e autorizados de conhecimento, tanto do universo físico quanto também das realidades humanas. Nesse sentido, toda a educação deveria estar fundamentada também no modelo científico.

É a partir desse momento que a literatura, que obviamente não deixou de evoluir e acompanhar todo esse processo de transformação, começa a ser considerada, pelo pensamento hegemônico, como uma forma de distração, de entretenimento, útil enquanto verniz erudito, porém dispensável do ponto de vista do conhecimento e do sentido prático da vida.

Sua permanência nos currículos escolares, por exemplo, se justifica apenas por sua significância histórica: estuda-se literatura para se conhecer melhor o pensamento de uma época, identificar seus padrões ideológicos e possibilitar análises comparativas. De meio para o conhecimento do homem, ela se transforma em objeto das ciências humanas, justificando inclusive o aparecimento de novas disciplinas, departamentos e faculdades nas instituições do novo modelo.

A crítica literária, que se desenvolve prodigamente nesse ínterim, contribui inclusive, mais que nenhuma outra ciência, para este enquadramento disciplinar da literatura — principalmente a grande literatura, a considerada clássica — alijando-a do homem comum, não-especialista, caracterizando aquilo que Todorov chamou de "sequestro da literatura pela crítica".[10]

A LITERATURA NA RESISTÊNCIA

Apesar de todo esse processo histórico característico da Modernidade, a literatura, ainda que desbancada, marginalizada e sequestrada, não deixou de resistir. E, ainda que de forma muitas vezes subversiva, ela aparece como uma importante alternativa diante da desumanização.

Mesmo no auge da fé no conhecimento filosófico e depois científico, não foram poucos os que defenderam a literatura como meio de instrução e formação humana privilegiado. "De Horácio a Quintiliano e ao classicismo francês", afirma Compagnon, "a resposta será a mesma: a literatura instrui deleitando, segundo a teoria do *dulce et utile*".[11]

Em pleno século XVIII, quando o pensamento iluminista, fundamentado no princípio das

---

[10] TODOROV, T. *Literatura em Perigo*. Trad. Caio Meira. São Paulo, DIFEL, 2009.
[11] COMPAGNON, A. Ibid, p. 31.

categorias racionais, começava e emergir com toda força no meio intelectual, o autor do revolucionário romance *Manon Lescaut*, Antoine Françoise Prévost, em prefácio à sua primeira edição, fazia ainda eco à concepção do poder educador do exemplo pela da literatura:

> Além do prazer de uma leitura agradável, poucos acontecimentos encontrar-se-á que não possam servir para instruir os bons costumes; e, a meu ver, esta é uma considerável prestação de serviços ao público, instruindo-o ao mesmo tempo em que o diverte.[12]

Segundo Compagnon, durante o "Século das Luzes", a literatura, para além de seu poder formativo, começou a ser encarada como um "remédio": "Ela liberta o indivíduo de sua sujeição às autoridades, pensavam os filósofos; ela o cura, em particular, do obscurantismo religioso".[13] Foi, entretanto, no século XIX, no âmbito do movimento Romântico (movimento literário por excelência), no contexto das grandes transformações geradas pela Revolução Industrial

---

12 PRÉVOST, A. Aviso do autor. In: _____. *Manon Lescaut*. Trad. Annie Dymetman. São Paulo: Ícone, 1987, p. 8.
13 COMPAGNON, A. Ibid., p. 33

e pela crença no poder da Ciência e da Tecnologia, que esta noção da literatura enquanto remédio ou antídoto frente aos males trazidos pela Modernidade se afirma.

> A literatura de imaginação, justamente porque é desinteressada — uma "finalidade sem fim", assim como a arte se define desde Kant —, adquire um interesse novamente paradoxal. Se ela sozinha pode ter a função de laço social, é, com efeito, em nome da sua gratuidade e de sua largueza em um mundo utilitário caracterizado pelas especializações produtivas. A harmonia do universo é restaurada pela literatura, pois sua própria unidade é atestada pela completude de sua forma, tipicamente a do poema lírico. Na leitura [...] a consciência encontra uma comunhão plenamente vivida com o mundo. Assim, a literatura, ao mesmo tempo sintoma e solução do mal-estar na civilização, dota o homem moderno de uma visão que o leva para além das restrições da vida cotidiana.[14]

E mesmo que tenha havido, por parte dos partidários da arte pela arte, uma rebelião contra esse "resgate da literatura", e que muitas vezes esta concepção "terapêutica" tenha sido considerada

---

14 Idem, pp. 35-6.

instrumental e ideológica, ainda na segunda metade do século XX, personalidades como Jean Paul Sartre evocam e reivindicam esse poder da literatura "de nos fazer escapar das forças da alienação ou da opressão".[15]

Mas se na perspectiva iluminista e romântica a literatura se apresenta como remédio e antídoto contra a fragmentação da experiência subjetiva provocada pelo desenraizamento e pela divisão do trabalho na sociedade industrial, na perspectiva moderna ou modernista, como coloca Compagnon, a literatura aparece como remédio contra "os defeitos da linguagem".[16] Isto é, num mundo em que a cultura vai se tornando cada vez mais técnica e instrumental, a linguagem tende a se tornar pobre, utilitária e massificada. Ela deixa de dar conta, por exemplo, de realidades mais amplas e profundas, como a da dimensão dos sentimentos, das intuições, do sublime. Neste sentido, desde Mallarmé e Bergson, a literatura se concebe como um remédio não mais para os males da sociedade, mas, essencialmente, para a inadequação da língua. Ela aparece "para compensar a insuficiência da linguagem e de suas categorias discretas, pois só

---

15 Apud COMAPAGNON, Ibid., p. 34.
16 Idem, p. 37.

ela tem condição de exprimir o contínuo, o impulso e a duração, ou seja, de sugerir a vida".[17]

A Modernidade, ao substituir o fundamento da visão e do conhecimento do mundo e do homem de uma perspectiva mítico-narrativa para outra de cunho intelectivo-conceitual, impôs um léxico que, como apontava Bergson, possibilita dominar (ilusoriamente, diga-se de passagem) a vida, mas que falha no desafio de desposá-la.[18] E assim, sem as palavras adequadas para traduzir e expressar o que sentimos, sem termos que nos ajudem a perceber e a nomear nossos assombros, êxtases e perplexidades frente ao movimento da vida, vamos todos adoecendo e nos desumanizando. A arte, de forma geral, e a literatura, muito particularmente, aparece neste contexto como remédio privilegiado ao restituir, "pela intuição e simpatia", o que Bergson chama de movimento revelador.

> Com efeito, há séculos que surgem homens cuja função é justamente a de ver e de nos fazer ver o que não percebemos naturalmente. São os artistas. A arte

---

17 Ididem.
18 BERGSON, Henri. A percepção da mudança. In:_____. *O pensamento e o movente: ensaios e conferências.* Trad. Bento Prado Neto. São Paulo, Martins Fontes, 2006, p. 155.

visa nos mostrar, na natureza e no espírito, fora de nós e em nós, coisas que não impressionavam explicitamente nossos sentidos e nossa consciência. O poeta e o romancista divulgam o que estava em nós mas que ignorávamos porque faltavam-nos as palavras. [...] À medida que nos falam, aparecem-nos matizes de emoção que podiam estar representados em nós há muito tempo, mas que permaneciam invisíveis: assim como a imagem fotográfica que ainda não foi mergulhada no banho no qual irá ser revelada.[19]

Acantonada pela ciência e pela perspectiva essencialmente técnica e utilitária da Modernidade, a literatura apresentar-se-ia assim como o arcaico sempre novo que dissolve o impasse da limitação da linguagem. "Ensinando-nos a não sermos enganados pela língua — aponta Compagnon —, a literatura nos torna mais inteligentes, ou diferentemente inteligentes. O dilema da arte social e da arte pela arte se torna caduco face a uma arte que cobiça uma inteligência do mundo que liberta das limitações da língua".[20]

Assim, dessa forma, desde o início do século passado, pensadores críticos da Modernidade vão

---

19 Idem.
20 COMPAGON, A. Ibid., p 39.

procurando identificar e propor um novo poder e um novo papel para a literatura; um poder e um papel moderno que, paradoxalmente, possibilitaria enfrentar os impasses da própria Modernidade. Além de antídoto contra a alienação causada pelos sistemas políticos e ideológicos e de antídoto contra o enrijecimento tecnicista da linguagem, ela vai sendo vista, cada vez mais, como um antídoto contra a tecnificação do próprio pensamento filosófico.

Segundo Compagnon, desde Proust a literatura começa a ser vista como um "antídoto para a filosofia, um contrassistema ou uma contrafilosofia". Ou seja, frente à uma filosofia que tendeu a se estruturar em sistemas de conceitos, na tentativa de se reposicionar frente a toda poderosa ciência moderna, e que com isso perdeu seu poder vital de despertar, emocionar e mobilizar o espírito humano, a literatura aparece como uma autêntica forma de pensar; uma outra filosofia que, fundamentada em dramas e imagens, e não em sistemas e conceitos, põe em movimento a inteligência sem renegar o sentimento e permite o acesso aos grandes temas da existência humana, sem distrair ou desviar para os intrincados labirintos do intelectualismo. Ainda de acordo com Compagnon, as próprias vanguardas teóricas do chamado pós-modernismo, mesmo que tenham tentado, "não souberam renunciar ao poder que teria a literatura de exceder as limitações da língua e as fronteiras da filosofia".[21] Michel Foucault, por exemplo, a considerava como único tipo de discurso que escapa das determinações autoritárias do poder, e Roland Barthes a via como aquela que, "trapaceando com a língua", a salvava do poder e da servidão.

Mais recentemente, com a obra *A Literatura em Perigo*,[22] Tzvetan Todorov, um dos mais importantes e respeitados críticos literários da linha estruturalista (que procurava construir um sistema interpretativo da narrativa literária), desencadeou um verdadeiro terremoto dentro do universo acadêmico ao reconhecer o desserviço que décadas de esforço científico no campo da teoria e da crítica literária acabaram por realizar no domínio da experiência da leitura. Fazendo um verdadeiro mea culpa, Todorov verifica que, em seu esforço disciplinar, as ciências humanas e, em especial, a teoria literária, sequestraram a literatura do leitor comum, criando a aberração da leitura autorizada, que transforma a narrativa literária de instrumento em objeto de conhecimento científico,

---

21 Idem, p. 40.
22 TODOROV, T, Op. Cit.

dificultando enormemente a possibilidade da experiência criativa e libertadora da leitura. Defendendo, pois, a literatura como um meio de acesso a "uma verdade e a uma capacidade de estar no mundo" e não apenas como uma mera disciplina ou um "campo de estudo", Todorov reforça e aprofunda esta tendência pós-moderna de revitalização da literatura como forma de conhecimento do humano e de humanização.

A LITERATURA HOJE: PARA QUÊ?

Todo este movimento de redescoberta e revalorização da literatura no âmbito das humanidades e até das ciências sociais configura-se como um indicativo do excepcional poder libertador e humanizador que ela pode vir a exercer não apenas no campo acadêmico e da cultura, como também no território mais amplo da vida social, abarcando dimensões tão essenciais como a da saúde ou do trabalho em empresas e corporações. Na prática, entretanto, tal poder libertador e humanizador ainda se apresenta muito mais como uma possibilidade ou promessa do que como algo já em curso. Mesmo no âmbito do pensamento, onde a influência desses teóricos se faz sentir de forma mais direta e imediata, o apego ao conceitualismo e aos grandes sistemas filosóficos prevalece, levando a maioria dos intelectuais a considerarem a literatura mais como elemento ilustrativo e comprobatório dos arcabouços teóricos do que como meio de reflexão e conhecimento per si.

E se assim é no âmbito das universidades, não poderia ser diferente nos níveis mais básicos da educação. Aqui também, o discurso do resgate da arte e da literatura como meio de conhecimento e formação, apesar de suscitar vivo interesse e entusiasmo, pouco redundou em efetividade em termos de currículo e, menos ainda, em termos de prática educacional. Salvando talvez raríssimas exceções, o ensino das artes e da literatura continua sendo realizado no modelo tradicional, numa perspectiva centrada no conteúdo e na abordagem intelectualista. As obras literárias continuam a ser lidas e interpretadas como exemplos ilustrativos de determinadas escolas ou movimentos artísticos e ideológicos que se sucedem na história, e não como histórias ou narrativas em si, capazes de emocionar e despertar questionamentos sobre atitudes e valores humanos.

O resultado disso, como sabemos, é a desconfiança e mesmo o ressentimento que grande parte dos egressos dos bancos escolares desenvolvem em relação à literatura. Já são várias as gerações que encaram a literatura, principalmente a clássica, a grande literatura, como algo pesado, difícil, árido e, principalmente, desinteressante; algo que talvez poderia ter significado e relevância em tempos passados, mas que agora não passa de coisa velha, ultrapassada. E assim, a necessidade instintiva do ser humano de se alimentar de histórias acaba sendo "suprida" por outros meios, certamente menos substanciosos e ricos que a grande literatura.

Por outro lado, quando, por algum prodígio do destino, estes mesmos jovens (ou já não tão jovens) se permitem fazer a experiência de uma leitura pura, desarmada, deixando de lado as prevenções e preconceitos adquiridos na escola e na vida, que surpresa manifestam! Isso porque, de repente, de forma absolutamente inesperada, descobrem que o que acreditavam difícil, árido ou mesmo incompreensível revela-se envolvente, estimulante. E que, superadas as inevitáveis dificuldades iniciais da leitura, oriundas das diferenças de contexto histórico e cultural, ou mesmo de vocabulário, a narrativa tem o poder de transportar — sequestrar mesmo — a atenção e a curiosidade, suscitando sensações, sentimentos e provocando questionamentos tão novos quanto profundos.

Por isso, como bem coloca Antoine Compagnon, neste pequeno e magistral "manifesto"[23] que estamos usando como referência principal nesta reflexão, "é tempo de se fazer novamente o elogio da literatura, de protegê-la da depreciação na escola e no mundo".[24] Porque, se as coisas que a literatura pode ensinar são pouco numerosas, como nos adverte Italo Calvino,[25] por outro lado elas são insubstituíveis. E que coisas são estas? Nada mais do que "a maneira de ver o próximo e a si mesmo, de atribuir valor às coisas pequenas ou grandes, de encontrar as proporções da vida, e o lugar do amor nela, e sua força e seu ritmo, e o lugar da morte, a maneira de pensar e de não pensar nela".[26] E também outras coisas "necessárias e difíceis como a rudeza, a piedade, a tristeza, a ironia, o humor".[27] Enfim, como fonte de inspiração, a literatura — a leitura de romances, como especifica Compagnon — pode auxiliar

---

[23] O livro *Literatura para Quê?* — conforme esclarece o editor e o tradutor da edição em português — constitui-se numa transcrição da aula inaugural de Antoine Compagnon no Collège de France, ocorrida no dia 30 de novembro de 2006.
[24] COMPAGNON, A. Ibidem, p. 45.
[25] CALVINO, Italo. *Por que ler os Clássicos?* Trad. N. Moulin. São Paulo, Companhia das Letras, 2007.
[26] Idem, p. 30.
[27] COMPAGNON, Ibid., p.45.

de forma extraordinária no desenvolvimento de nossa personalidade ou em nossa "educação sentimental". Pois,

> Ela permite acessar uma experiência sensível e um conhecimento moral que seria difícil, até mesmo impossível, de se adquirir nos tratados dos filósofos. Ela contribui, portanto, de maneira insubstituível, tanto para a ética prática como para a ética especulativa.[28]

Assim, neste contexto de embotamento afetivo e moral em que estamos vivendo, a literatura se ofereceria como um meio — alguns dirão até mesmo o único — de nos reencontrarmos com as fontes humanas da nossa existência e nos humanizarmos. Isso porque ela, em primeiro lugar, nos desperta emoções — ela nos afeta —, nos lembra que estamos vivos e que não somos meros zumbis encerrados num ciclo vicioso de produção e consumo. E, depois, porque ela desencadeia um processo de reflexão que nos ajuda a "rasgar a cortina das ideias feitas", como diz Milan Kundera.[29]

---

28 Idem, p. 46.
29 KUNDERA, Milan. *A Cortina*: ensaio em sete partes. Trad. Teresa Bulhões Carvalho da Fonseca. São Paulo, Companhia das Letras, 2006, p. 114.

A literatura desconcerta, incomoda, desorienta, desnorteia mais que os discursos filosófico, sociológico ou psicológico porque ela faz apelo às emoções e à empatia. Assim, ela percorre regiões da experiência que os outros discursos negligenciam, mas que a ficção reconhece em seus detalhes.[30]

Ao oferecer um conhecimento diferente do conhecimento convencional ou científico, ela possibilita compreender os comportamentos e motivações humanas de uma forma mais ampla e profunda, que vai além da visão algorítmica e que incorpora a emoção, a empatia e a intuição.

O texto literário me fala de mim e dos outros; provoca minha compaixão; quando leio eu me identifico com os outros e sou afetado por seu destino; suas felicidades e seus sofrimentos são momentaneamente os meus.[31]

Dessa forma, como meio de conhecimento heurístico que possibilita rever e ampliar a maneira como eu vejo o mundo, o outro e a mim mesmo, a literatura apresenta-se como um meio poderoso de conhecimento do humano e, portanto, de autoconhecimento.

---

[30] Idem.
[31] COMPAGNON, Ibid., p. 48.

A literatura nos liberta de nossas maneiras convencionais de pensar a vida — a nossa e a dos outros — ela arruína a consciência limpa e a má-fé. [...] Ela resiste à tolice não violentamente, mas de modo sutil e obstinado. Seu poder emancipador continua intacto, o que nos conduzirá por vezes a querer derrubar os ídolos e a mudar o mundo, mas quase sempre nos tornará simplesmente mais sensíveis e mais sábios, em uma palavra, melhores.[32]

Reatando com uma perspectiva socrática de que o autoconhecimento nos liberta e nos torna melhores, a literatura aparece para todos estes grandes autores e pensadores da pós-modernidade como um instrumento incomparável. E assim, seja sob o influxo direto deste movimento revisionista no âmbito das humanidades e da crítica literária, seja como resposta quase que instintiva ao processo de desumanização imposto por uma visão excessivamente técnica, racionalista e cientificista da Modernidade, a literatura vem sendo proposta como remédio e alternativa em diversos âmbitos da vida social.

---

32 Idem, pp. 50-1.

LITERATURA COMO REMÉDIO: MODO DE USAR

Proposta, prescrita, sim, mas até que ponto entendida, aceita e praticada? E mesmo quando praticada, em que medida e com que efeitos?

São inúmeros os exemplos, oriundos inclusive da própria literatura, que expressam esse poder afetivo, mobilizador, transformador que a leitura de histórias, ficcionais ou não, pode exercer sobre uma pessoa. Já Santo Agostinho, por exemplo, apontava em suas Confissões como a leitura de certos livros tinha o poder de lhe "revolver as ondas do coração".[33] Dom Quixote de La Mancha, imortal personagem de Miguel de Cervantes, foi de tal modo afetado pela leitura dos livros de cavalaria que acabou ele mesmo se transformando num cavaleiro andante. E Emma Bovary, a apaixonada e apaixonante personagem de Flaubert, de forma muito mais trágica do que cômica, envereda pelos inusitados caminhos da aventura amorosa tocada e mobilizada pela leitura de ardentes romances.

---

[33] SANTO AGOSTINHO. *Confissões*. Trad. J. Oliveira e A. Ambrósio de Pina. 26ª Ed. Petrópolis, Vozes, 2012, p. 188.

Desde muito, os livros vêm sendo responsáveis por grandes transformações, conversões, em direções e com efeitos muito variáveis. E a própria literatura atesta que aqui neste domínio da experiência, tal como na dimensão da vida corporal, o mesmo remédio que cura pode também fazer mal e até matar, se não for adequadamente administrado.

Vivenciada como uma operação solitária e subjetiva, a leitura de obras literárias foi sempre considerada uma experiência tão poderosa quanto perigosa. E se nem sempre se tenha explicitado, no âmbito da ficção ou da crítica, a necessidade da supervisão, a importância, pelo menos, da interlocução é algo que, implícita ou explicitamente, aparece como elemento fundamental no contexto da experiência da leitura. Assim, fica evidente que não basta apenas incentivar ou promover a leitura de obras literárias, mas o que é preciso também, de alguma forma, acompanhar.

Ainda que essencialmente solitária, a leitura — sobretudo dos clássicos — pode ser algo excessivamente pesado e difícil para se enfrentar sozinho. Por outro lado, se vencidas as dificuldades iniciais de falta de hábito e compreensão, o grande poder mobilizador da leitura do ponto vista afetivo e reflexivo praticamente exige uma dinâmica de expressão e compartilhamento, concretizado numa situação de interlocução, para que esse processo amplificador ocorra de forma saudável e produtiva do ponto de vista da humanização.

Um dos exemplos mais interessantes nesse sentido talvez seja a biblioterapia, que propõe a leitura de obras literárias como recurso psicoterapêutico. Abordagem fundamentada na teoria de catarse de Aristóteles e na psicanálise freudiana, a biblioterapia surgiu como proposta ainda na década de 1940,[34] porém só mais recentemente, no contexto da busca de abordagens alternativas para os efeitos patológicos causados pelo acirramento da dinâmica desumanizadora da vida moderna, que ela passou a ser mais difundida e utilizada em diversos contextos e modalidades.

Concomitantemente, contudo, com maior grau de difusão cabe assinalar o aparecimento dos grupos de leitura ou clubes do livro, nos quais leitores, de forma livre e descompromissada do ponto de vista acadêmico, se reúnem para compartilhar sensações, impressões e opiniões suscitadas pela leitura de determinada obra. Tais dinâmicas, ainda pouco estudadas, porém, em franco processo de expansão, parecem

---

[34] CALDIN, Clarice F. *A leitura como função terapêutica:* biblioterapia. In Enc. Bibli: R. Eletr. Bibliotecon. Florianópolis, Brasil, n.12, 2001, p. 32-44.

operar como elemento incentivador da prática da leitura, ao mesmo tempo em que possibilita o desdobramento do processo reflexivo, formativo e humanizador que a experiência literária propicia. Disseminados em diversos âmbitos da sociedade, apresentando os mais variados formatos e estruturas, esses grupos ou círculos de leitura parecem ser uma resposta espontânea a este movimento quase instintivo de retorno à dimensão narrativa da experiência humana como forma de enfrentar as forças desumanizadoras da Modernidade. Neste âmbito, o Laboratório de Leitura, tendo nascido num contexto muito peculiar — numa escola de Medicina de uma universidade pública — e tendo se desenvolvido com um propósito bem definido — a formação humanística e a humanização dos futuros profissionais da saúde — acabou por se fundamentar e se estruturar de forma muito especial do ponto de vista teórico e metodológico — algo pouco comum no universo dos grupos ou círculos de leitura conhecidos.

Retomando a narrativa que vínhamos desenvolvendo no capítulo anterior, sobre a história e os objetivos do Laboratório de Leitura, no próximo capítulo apresentaremos a metodologia e dinâmica desta experiência estético-reflexiva que propõe a mobilização afetiva, cognitiva e volitiva de seus participantes.

3 | LabLei: o experimento laboratorial

A DINÂMICA DO LABORATÓRIO DE LEITURA E SEUS MOVIMENTOS

Sendo historiador de formação e ofício, não posso deixar de compreender o Laboratório de Leitura como um fenômeno que responde, em grande medida, a essa demanda própria dos tempos que estamos vivendo — como vim ressaltando nos capítulos anteriores. A sua origem e estruturação, fortemente espontâneas, reforçam esta constatação. O LabHum e, no seu esteio, o LabLei, podem e devem ser vistos, assim, como tentativas de resistência humanística ou humanizadora frente ao solapador processo de desumanização associado aos desdobramentos dos projetos utópicos da Modernidade.

Nesse sentido, o surgimento do LabHum/LabLei pode, portanto, ser inserido nesse contexto de resgate da experiência literária que vimos historiando no capítulo anterior, no qual destacamos a difusão de movimentos como a biblioterapia e os grupos ou círculos de leitura. Entretanto, ainda que se possa identificar uma série de características comuns com estas outras propostas, o Laboratório de Leitura apresenta algumas particularidades que, como temos constatado nos últimos anos através de experiências empíricas e estudos acadêmico-científicos, têm determinado uma especial e efetiva eficácia humanizadora (na perspectiva da sensibilização e desencadeamento de mudança de visão e atitudes) nos mais variados cenários sociais — seja no âmbito da educação em saúde ou no campo do trabalho em empresas ou corporações.

Esta peculiar vantagem do Laboratório de Leitura (no contexto das numerosas experiências que vêm despontando nos últimos tempos) decorre de uma especial compreensão fenomenológica da experiência (estético-reflexiva) que caracteriza o Laboratório e do aproveitamento dessa compreensão na estruturação de sua dinâmica metodológica.

O fato de haver nascido, de forma experimental, no cenário da universidade permitiu que o

Laboratório de Leitura se constituísse não apenas como uma simples atividade educacional prática, mas que também fosse encarado como objeto de pesquisa. Essa abordagem científica frente à experiência, caracterizada não apenas pelo estudo teórico e filosófico, mas também empírico e experimental, contribuiu para a estruturação de uma metodologia particularmente pertinente e que, à larga, foi se mostrando extremamente eficaz diante dos objetivos que foram e que continuam a ser propostos.

Antes, porém, de apresentarmos os resultados e demonstrarmos a eficácia humanizadora do Laboratório, nos vários cenários em que ele vem sendo realizado, cabe descrever, neste capítulo, a forma como ele é aplicado — ou seja, a maneira como acontece o Laboratório de Leitura, sua metodologia.

APRESENTANDO O LABLEI

Tal como aconteceu em sua versão acadêmica prototípica, o LabHum, o LabLei tem o poder de conquistar adeptos fieis que, tendo-o experimentado uma primeira vez, acabam querendo participar do ciclo seguinte e do seguinte — e assim sucessivamente —, gerando uma espécie de dependência virtuosa, como costumam definir alguns participantes que constituem os "núcleos duros" dos grupos.[1]

Estes participantes assíduos, que são os maiores e mais entusiasmados divulgadores do LabLei, mesmo conhecendo muito bem a experiência e a sua metodologia, costumam ser unânimes em dizer que é sempre muito difícil explicar o que é o Laboratório. Tanto é assim que, segundo comentam, conseguem atrair novos participantes não tanto pelos argumentos e explicações que dão, mas pelo entusiasmo e paixão que demonstram ao falar sobre a experiência. O melhor argumento, dizem eles, é: venha e veja!

Minha experiência pessoal tem, a cada dia, confirmado esta constatação. De fato, é muito difícil explicar uma experiência, um acontecimento, que se vivencia não apenas no âmbito do intelecto, da inteligência, mas também, e principalmente, na dimensão dos afetos, dos

---

[1] Nos grupos domiciliares e naqueles formados na Casa Arca, muitas pessoas estão participando dos ciclos quase que ininterruptamente há mais de cinco anos. É bastante elevado também o *índice de retorno*, ou seja, participantes que completam um ciclo ou dois, deixando de comparecer por um tempo e depois retornando para participar de mais um ou mais ciclos subsequentes. É comum esses participantes gracejarem dizendo que o *LabLei vicia*.

sentimentos e da vontade. Afinal, como explicar uma experiência que nos impacta e nos envolve numa perspectiva existencial?

De qualquer forma, entretanto, mesmo cônscio de sua inevitável limitação, uma apresentação explicativa, por mais sucinta que seja, faz-se necessária. E isso (a experiência tem mostrado) não tanto pelas importantes explicações sobre os objetivos e a metodologia do Laboratório, mas também e principalmente pelo caráter estimulador que essas apresentações podem desempenhar — o que é particularmente importante na constituição de novos grupos em ambiente educacional e/ou corporativo, onde ainda não há referências testemunhais, onde o Laboratório é novidade para todos.

Estimular, por exemplo, pessoas do universo corporativo, desabituadas à leitura de ficção e que experimentam sérios problemas de falta de tempo, a ler, num intervalo mais ou menos limitado, um livro de literatura e, ainda mais, um clássico (algo escrito numa linguagem de outros tempos, especialmente complexo — pensam a maioria...), não é das tarefas mais simples. O apresentador (que preferivelmente deverá ser o coordenador daquele grupo) se vê então obrigado a não apenas apresentar razões e argumentos muito pertinentes e atraentes (como o da importância da leitura para o desenvolvimento da inteligência e da pessoa como um todo; a ampliação da cultura; a descoberta de novos horizontes do humano e do autoconhecimento; dentre outros...), como também e principalmente a transmitir toda sua convicção e todo seu amor pela leitura dos clássicos e pelos encontros de compartilhamento e discussão dos temas suscitados, que ele mesmo sente e experimenta. Assim, a condição essencial para a proposição de um grupo de LabLei é o amor, a paixão e a convicção do seu proponente/coordenador. Ter experimentado o poder mobilizador da literatura no contexto da dinâmica do Laboratório e estar convicto dele é o primeiro passo no caminho de convencer, estimular e envolver outras pessoas nessa aventura.

 É certo que a leitura é sempre uma experiência muito subjetiva e particular, mas é perceptível também que existem níveis e dimensões na realização desta experiência, mais ou menos profundos e amplos, que podem variar em cada indivíduo. Neste primeiro momento da dinâmica do Laboratório, ou seja, na sua apresentação e proposição, cabe também ao coordenador suscitar no futuro participante uma atitude de leitor que seja apropriada para a experiência que se pretende provocar. Cabe ao proponente/coordenador convidar o participante a assumir a postura do "leitor feliz" do qual fala Gaston Bachelard[2] — ou seja, daquele que vai à leitura não como quem vai cumprir uma tarefa ou trabalho, ou como quem se sente desafiado a encontrar uma solução, compreender claramente e realizar uma síntese ou resumo, mas sim como quem vai brincar, se divertir e se embrenhar numa aventura que envolve e mesmo rapta o leitor, lançando-lhe numa outra dimensão de espaço, tempo e clima, diferente daquela que ele vive cotidianamente. Neste momento da experiência da dinâmica do Laboratório é preciso que o proponente/coordenador incentive o participante a partir desarmado e relaxado para a leitura do livro proposto, instruindo-o que o que se exigirá dele não será o que ele, eventualmente, esteve sempre a ser cobrado ao longo de sua vida escolar e universitária: uma visão técnica, "objetiva", histórica, que lhe permita identificar qual o "foco narrativo" do texto, quais as características estilísticas mais marcantes e a qual fase ou período da história da literatura ele se insere (romantismo, realismo, regionalismo, etc.). O proponente/coordenador deve, ao contrário, incentivar e

---

[2] BACHELARD. G. *A Poética do Espaço*. Trad. J. J. Moura Ramos. 2ª Ed. São Paulo, Abril Cultural (Col. Os Pensadores), 1984, p. 189.

preparar o participante para a experiência da "leitura feliz", informando-o claramente que o que se exigirá dele, num primeiro momento, é, apenas, o que ele sentiu, pensou e achou do livro proposto, sem se preocupar em formular teses, encontrar questões (ainda que estas, certamente, possam vir a emergir de forma espontânea, o que é absolutamente válido) ou responder a perguntas específicas que poderiam ser apresentadas no próximo encontro.

A prática tem mostrado que este convite e estas advertências que se apresentam sobretudo nos encontros propositivos e introdutórios do Laboratório de Leitura acabam, geralmente, suscitando resultados muito positivos no sentido de ajudar a superar entraves, preconceitos e atitudes ou posturas já incorporadas que comprometeriam o desenvolvimento satisfatório da experiência que o Laboratório propõe já que, como se disse, o objetivo do LabLei não é o de propor um simples exercício intelectual que amplie o repertório cultural, mas sim o de promover a transformação das pessoas no sentido da sua humanização — entendendo por humanização a "ampliação da esfera do ser". Ou seja, suscitar uma experiência que envolva e mobilize o ser humano pessoal em toda suas dimensões (afetiva, intelectiva e volitiva), que conflua para uma ampliação do conhecimento do humano e, assim, para o autoconhecimento, e que possa contribuir para a revisão de perspectivas, gestos e atitudes, não apenas na vida profissional, mas na vida como um todo.

Por isso mesmo, neste sentido, o primeiro passo na metodologia do Laboratório — ainda em sua etapa de proposição e introdução — é o de propiciar que na leitura se realize, na maior medida possível, uma autêntica experiência estética — ou seja uma experiência despertadora (pois é isso o que significa etimologicamente a palavra estética, que vem do grego *aesthesis*: despertar) das dimensões mais primárias, essenciais e mobilizadoras do existir humano, que são os afetos e os sentimentos; pois, como vimos, uma proposta humanizadora, que envolve a participação do intelecto e da reflexão, se não estiver fundamentada numa experiência estético-afetiva, está fadada ao fracasso; fadada a se limitar a um mero exercício intelectual, sem maiores consequências no âmbito ético dos valores, dos gestos e das atitudes.

AS HISTÓRIAS DE LEITURA

Uma vez apresentados os objetivos e a metodologia do LabLei, explicada e estimulada a atitude de leitura apropriada — a do "leitor feliz" — o coordenador, neste encontro inaugural ou "reunião zero", anuncia também a data do próximo encontro, onde se iniciará, propriamente, a dinâmica laboratorial. Recomenda-se então aos participantes que todos venham para esse próximo encontro, de preferência, com o livro proposto lido por completo,[3] já que nesta oportunidade deverão contar suas Histórias de Leitura.

Coerente com os objetivos propostos, a primeira fase da dinâmica do LabLei, após a leitura do livro, busca, naturalmente, fomentar a expressão e compartilhamento da experiência estética pessoal, subjetiva, de cada leitor participante. Depois de terem sido instigados a fazerem a "leitura feliz" da obra proposta, cabe então dar a oportunidade a esses leitores para que contem, de maneira simples, franca, aberta, as histórias de suas leituras: Como leram? Gostaram? Foi difícil ou fácil; agradável ou desagradável? Quais afetos,

---

[3] O intervalo de tempo entre a proposição ou anúncio do livro e o início dos encontros varia em função do tamanho e/ou nível de complexidade do mesmo. Em geral entre 15 e 40 dias, quando se trata de livros de 200 a 600 páginas, mas pode-se adotar intervalos mais curtos, de 10 ou mesmo 7 dias, para obras menos volumosas ou então contos. Para grupos já consolidados, como os "domiciliares" ou os corporativos nos quais as empresas já adotaram o LabLei, dispensa-se, obviamente, os encontros inaugurais, sendo os livros anunciados ao final dos ciclos e também pelas das mídias sociais.

sentimentos, ideais, questionamentos ou reflexões surgiram durante a leitura? Foi uma experiência interessante, reveladora, instigante ou árida, enfadonha, desesperadora?

Esta abordagem vivencial que caracteriza o encontro de Histórias de Leitura apresenta-se como estratégia fundamental para assegurar o tom e o efeito propriamente humanizador que se busca com o Laboratório. Assenta-se na convicção de que toda experiência humanizadora parte, de uma vivência primariamente afetiva, provocada por uma experiência estética interpelativa. Como explica Larrosa Bondía,[4] toda experiência é algo "que nos acontece" e que em geral nos surpreende, rompendo com a rotina, com o planejado. As autênticas experiências, segundo o mesmo autor, são resultado de "acontecimentos" que nos "interpelam", que nos provocam, nos afetam, e que despertam reações, sentimentos. São nesses momentos, lembra Bondía, que nos damos conta que somos, que existimos, que estamos vivos.

Tais acontecimentos interpelativos podem ser coisas ou situações que, de repente, vemos: pessoas com quem nos encontramos, histórias que

---

[4] BONDIA, J. L. Notas sobre a experiência e o saber da experiência. Rev. Bras. Educ., n.19, 2002, p.20-8.

ouvimos, geralmente de forma inesperada, não deliberada. No entanto, ao longo da sua história, a humanidade encontrou uma maneira de, de certa forma, provocar estes acontecimentos interpelativos. Estes "provocadores", "despertadores" interpelativos são aquilo que se convencionou chamar de arte. Como já nos explicavam os antigos gregos, por meio de seus mitos, as artes foram um presente dos deuses aos homens que, apesar de dotados de uma natureza muito próxima dos seres imortais, padeciam de um defeito extremamente sério: o do esquecimento.[5] Criados à imagem e semelhança dos deuses, os homens, entretanto, rapidamente se esqueceram daquilo que era o mais importante, do essencial; ou seja, daquilo que efetivamente eram: de onde vinham e para onde deveriam ir. Para corrigir esta terrível carência, Zeus se uniu a Mnemosyne (a Memória) e gerou nove filhas: as Musas, inspiradoras das artes, encarregadas de recordar aos homens quem eles realmente eram e mostrar o caminho do *bem viver*, ou seja, de viver de acordo com seu próprio *ethos*, sua própria natureza.

---

[5] LAUAND, Luis Jean. "Educação & Memória" in www.grupotempo.com.br/tex_memoria.html

Inspirados assim pelas Musas e conscientes de que o seu encontro consigo mesmo e com seu *ethos* não podia ficar à mercê de aleatórios acontecimentos interpelativos, os homens passaram não apenas a criar, mas a propor a arte como um meio sistemático e permanente de experiência interpelativa, de experiência despertadora (*aesthetica*); uma experiência que desperta e recorda o que rotineiramente fica adormecido e esquecido e que, ao despertar, ao recordar, faz o homem ser homem; faze-o, em última análise, viver como deve viver, segundo sua natureza de filho dos deuses, criados à sua imagem e semelhança.

Esse conteúdo essencial ou, ainda segundo os gregos, mais sagrado do humano, e que ao despertar o diviniza, ajudando a torná-lo efetivamente humano (humanizando-o), jaz, por sua vez, na sua parte ou dimensão ao mesmo tempo mais profunda e mais vital: no coração.[6] Assim, portanto, toda autêntica experiência despertadora

---

6 A tendência a associar os conteúdos mais essenciais e vitais do ser humano, tais como o sentimento, a bondade, a nobreza, a paixão, assim como a inteligência, a intuição e a piedade ao coração não se restringe à tradição grega ou Ocidental. Ideias ou crenças muito semelhantes e até mesmo idênticas são encontradas em tradições muito diferentes como a egípcia, a judaica ou hindu. Sobre este assunto ver: GALLIAN, D. M. C. *O destronamento do coração*: breve história do coração humano até o advento da modernidade. Memorandum, 18, 2010, 27-36.

do essencialmente ético, do essencialmente humano, deve ser uma *aesthesiskardia*, uma estética que afete o coração, ou seja, o mais profundo dos sentimentos, das crenças, dos valores. A verdadeira arte é aquela que toca e desperta nosso coração. E, ainda que simbolicamente nosso coração seja o órgão da nossa mais profunda pessoalidade, onde habita nosso conhecimento e nossa inteligência mais essencial, sua dinâmica ou funcionamento está condicionado, entretanto, pelos estímulos afetivos.[7]

É por isso, portanto, que na experiência de leitura proposta pelo Laboratório esta perspectiva, digamos, cordial é tão valorizada e fomentada. O encontro das Histórias de Leitura é entendido como uma excelente oportunidade para dar vazão e acolher esse acontecimento estético-afetivo que a fruição de uma verdadeira obra de arte (neste caso a leitura de um clássico) nos proporciona.

Quando nos permitimos e permitimos que uma obra de arte — uma história, uma narrativa,

---

[7] Tal como na sua dimensão física ou anatômica, nas quais sendo o órgão responsável pela vida de todo o corpo, seu funcionamento está determinado por impulsos ou descargas que lhe chegam através do sistema nervoso; ou ainda em sua dimensão psicossomática, na qual acontecimentos interpelativos da vida o fazem bater mais rápido, sincopada ou então desfalecidamente.

por exemplo — nos afete, que entre em nosso cérebro, em nosso entendimento, em nosso interior, em nosso coração, isto acaba por desencadear em nós uma movimentação de sentimentos, de ideias, de questionamentos, de descobertas que quer aflorar, vir à tona. Isso porque, como bem nos mostra a experiência e escrevem os filósofos, somos seres comunicantes; ou seja, temos a necessidade de externalizar o que se opera por dentro de nós, como forma de melhor conhecermos e melhor darmos conta. É por isso que, muitas vezes, a experiência de ler ou fruir sozinhos de algo que nos toca e nos emociona acaba por ser muito doloroso; é como se essa experiência, tão forte e essencial, ficasse como que incompleta, inconclusa. A necessidade de compartilhar com alguém essas experiências e descobertas é algo instintivamente humano, poderíamos dizer. Tolstói sintetizou essa verdade da seguinte forma: "A felicidade só é completa quando pode ser compartilhada".[8]

E, não é, de fato, "felicidade" o que sentimos quando, lendo um livro, por exemplo, nos deparamos com algo que nos emociona ou que traduz

---

[8] TOLSTÓI, L. *A Felicidade Conjugal*. Trad. B. Schnaiderman. São Paulo, Ed. 34, 2009.

perfeitamente um sentimento, uma ideia, uma débil intuição que guardávamos adormecida lá dentro e que talvez até desconhecêssemos e que de repente aflora? Não é uma certa forma de "felicidade" o que sentimos, ainda que muitos desses despertares ou descobertas sejam, objetivamente, duras, dolorosas e mesmo tristes?

Compartilhar os afetos, os sentimentos, as ideias, os questionamentos, as intuições e as descobertas provocadas por uma experiência estética que mexeu conosco é, portanto, uma necessidade, uma alegria e um meio privilegiado de nos humanizarmos, de ampliar a esfera do nosso ser e de crescer em autoconhecimento. Porém, no mundo líquido,[9] fragmentado e isolacionista em que vivemos, quais as oportunidades de, primeiro, nos permitirmos ter autênticas experiências estéticas e, segundo (ainda mais difícil), encontrar interlocutores com quem compartilhar essas mesmas experiências? Ora, o Laboratório de Leitura se apresenta como uma rara e preciosa oportunidade neste contexto e, em sua dinâmica, o momento das Histórias de Leitura desempenha, pois, um papel fundamental.

---

9 BAUMAN, Z. *Modernidade Líquida*. Trad. P. Dentzien. Rio de Janeiro, Zahar, 2001.

Nos relatos e testemunhos orais e escritos que muitas das centenas de pessoas que já experimentaram o Laboratório de Leitura deixaram (e que iremos analisar mais amplamente no capítulo seguinte), são frequentes os comentários que destacam este momento particular da dinâmica do LabLei. Eles apontam a agradável surpresa de encontrarem a possibilidade de se manifestarem com simplicidade, franqueza e sinceridade; "de não precisarmos 'elaborar' nossa fala para adaptá-la àquilo que supostamente o 'professor' ou coordenador quer ou gostaria de ouvir. É muito legal." — comenta um participante de um grupo desenvolvido numa escola de negócios — "Você inclusive poder dizer, sem vergonha ou sem medo de represálias, que não gostou ou não entendeu direito o livro. É claro que rápido a gente percebe que o problema em geral está conosco e não com o livro, mas o fato de poder dizer isso logo de início, nas Histórias de Leitura, é um excelente começo e, posso garantir, abre a possibilidade de fazer uma experiência incrível, ainda que o livro não tenha 'te pegado' na primeira leitura."

Já para uma outra participante, gestora de Recursos Humanos de um grande banco e que experimentou o LabLei num ciclo desenvolvido *in company*, "esse momento das Histórias de Leitura foi algo surpreendente, quase mágico para mim.

Sempre gostei muito de ler — ainda que quase nunca tenha lido os clássicos — mas nunca tinha tido a oportunidade de contar minha 'história de leitura'. Ainda mais para outras pessoas que tinham lido o mesmo livro que eu. Isso foi uma experiência inédita. Poder expressar não apenas minha opinião, mas também meus sentimentos, as coisas que pensei enquanto estava lendo, foi algo fantástico. Ao mesmo tempo, não só poder falar, mas também ouvir... Que coisa mais enriquecedora! São tantas percepções, tantas reações diferentes provocadas pelo mesmo livro, pela mesma história. Às vezes ficava pensando: será que lemos o mesmo livro? Não é possível! E, por outro lado, como isso nos permite conhecer melhor o outro. Esta experiência permitiu com que nós, que trabalhamos juntos há tanto tempo, nos conhecêssemos de uma forma diferente, num outro nível de profundidade..."

Ao possibilitar a rara oportunidade de expressar, de compartilhar os movimentos e conteúdos mais subjetivos e, ao mesmo tempo, de ouvir as histórias dos outros, o encontro de Histórias de Leitura cumpre, pois, um papel fundamental na dinâmica do LabLei, ao demarcar o espírito e o clima que deverá prevalecer no desenvolvimento da experiência como um todo. As Histórias de Leitura ajudam a prevenir e a romper com qualquer tendência ao formalismo, ao academicismo ou ao intelectualismo, permitindo, portanto, a fluência e amplificação da experiência estético-afetiva que deve servir de base para a efetiva experiência reflexiva que daí decorre.

Assim, o coordenador deve estar sempre vigilante, a fim de identificar e procurar desconstruir as eventuais manobras teoréticas ou intelectualistas que alguns participantes, consciente ou inconscientemente, tendem a realizar, como meio de defesa ou autoafirmação. Diante de "histórias de leitura" que mais parecem análises ou pareceres críticos, fundamentados em autores balizados ou teorias estabelecidas, o coordenador deve insistir sempre no compartilhamento de afetos, sentimentos e outros conteúdos mais subjetivos, pontuando que as análises mais elaboradas poderão ser retomadas mais adiante, ao longo do Itinerário de Discussão (como veremos mais à frente). Tal procedimento, além de garantir a prevalência do clima de subjetividade, essencial para o desenvolvimento da experiência estético-reflexiva no grupo, serve, muitas vezes, de grande auxiliar no processo de sensibilização e redefinição de atitude de determinados participantes. Como nos conta uma psicóloga, participante de um grupo desenvolvido num hospital: "Acostumada a olhar tudo pelas lentes da teoria e da técnica que aprendi e aplico no consultório, logo no primeiro encontro já fui fazendo análises complexas dos personagens e inclusive atribuindo diagnósticos de acordo com critérios 'científicos'. Foi então que o coordenador me perguntou: 'Mas e você; o que você acha? O que você sentiu ao ler esta história? Quais foram os seus sentimentos, os seus afetos?' Confesso que isso me desconcertou. A princípio não entendi... Depois fiquei indignada; parecia quase uma indiscrição... Mas em seguida, para não deixá-lo sem resposta, parei, pensei, tentei me lembrar... E então comecei a dizer e foi surpreendente... Surpreendente e libertador ao mesmo tempo, pois a partir de então comecei a ler não mais como alguém que tem de analisar do ponto de vista profissional e chegar necessariamente a um diagnóstico. Comecei a fazer a experiência da tal da 'leitura feliz'. E isso me ajudou muito, não só porque comecei a encontrar na leitura uma experiência de prazer, que fazia muito tempo que não me permitia; mas também porque me permitiu olhar o ser humano numa outra perspectiva, menos 'sistemática', 'científica'. Isso agora tem me ajudado muito no meu trabalho."

E assim, o que aconteceu com esta psicóloga não é incomum acontecer com muitos outros, que se utilizam de vasto repertório filosófico, histórico, sociológico e mesmo literário para elaborar discursos que são como que muros de proteção frente à experiência estética que, muitas vezes, pode ser incômoda, desestabilizadora, perigosa.

É certo que a multiplicidade de repertório teórico e cultural pode ser enriquecedora no processo do Laboratório como um todo, mas o coordenador deve estar atento para que este repertório não solape a dimensão da experiência, que é, como já vínhamos insistindo, essencial e básica. Os grupos de Laboratório de Leitura não podem ser confundidos com grupos de estudo acadêmicos ou científicos, nos quais se discutem autores, ideias e teorias. O LabLei é um espaço de compartilhamento da experiência humana a partir de uma vivência comum que é a leitura de livro e que possibilita um processo de conhecimento e de autoconhecimento, onde as ideias e as teorias podem ajudar, inclusive, mas não são protagonistas cedendo esta posição as narrativas, às pessoas participantes e às suas experiências.

Quanto mais abrangente e profunda for a leitura da obra proposta, maior a amplitude da experiência estética que o participante vivenciará, e assim, teoricamente, melhor será sua História de Leitura. Como vimos, na metodologia do LabLei insiste-se para que cada participante leia a obra proposta completa antes do primeiro encontro. Isso não apenas para que ele possa ter uma impressão do todo, como também possa ter a oportunidade de reler a obra ao longo das semanas em que se desenvolverá o Itinerário de Discussão.

Parece que foi Jorge Luis Borges quem costumava dizer que só há um prazer maior do que o da leitura de um bom livro: o da sua releitura. Voltar à história, à trama, aos personagens, principalmente quando a narrativa nos cativou, é uma oportunidade única de revisitar aquilo que nos tocou especialmente, assim como descobrir novos aspectos e revelações que uma primeira leitura nem sempre permite. Quando estabelecermos uma espécie de caso de amor com o livro, voltar uma e outra vez a ele não tem nada de árido ou enfadonho, muito pelo contrário. Quem não deseja estar mais uma vez com o objeto ou pessoa amada? E quanta riqueza se extrai dessas visitas repetidas e constantes!

Os testemunhos dos participantes do LabLei, nos mais diversos cenários, são praticamente unânimes neste ponto: a releitura, seguindo o Itinerário de Discussão, é uma experiência surpreendente e reveladora.

"Passei a entender por experiência própria — relata um participante de um grupo de ambiente corporativo — porque meu filho pequeno nunca se cansa de assistir ao mesmo filme inúmeras vezes.

Quando encontramos algo que realmente mexe com a gente e, ainda mais, instigado pelos encontros, onde podemos falar sobre nossas descobertas e ouvir sobre o que os outros encontraram, não nos cansamos; muito pelo contrário! E então queremos voltar de novo àquele trecho, àquele diálogo tão significativo para nós..."

Ainda que, sem dúvida, a leitura completa da obra antes do início dos encontros seja ideal — e por isso altamente recomendada —, ela nunca é imposta como obrigatória no LabLei. Como a metodologia do Laboratório nasceu da experiência concreta e empírica do fenômeno, logo foi possível perceber que uma atitude inflexível neste quesito não apenas acabaria por limitar seriamente o número de participantes nos grupos, como ainda inviabilizaria algo que, com o tempo, mostrou ser muito frequente na experiência: o de despertar o prazer de ler os clássicos e o de formar novos leitores. À medida em que o LabLei se ampliava e se tornava mais conhecido e, ao mesmo tempo, à medida em que nos interessávamos cada vez mais em conhecer quem vinha até ele e por que, nos demos conta de que não eram poucos os que buscavam o Laboratório para se aproximar dos clássicos ou mesmo para, de certa forma, "aprender a ler". Num contexto em que a leitura dos clássicos não é algo comum e em que, quando ela acontece, se dá, geralmente, de forma traumática (como já vimos), percebe-se que é fundamental sermos compreensivos. Porque sabemos que a leitura dos clássicos não é, na maioria das vezes, algo fácil, simples e que, por outro lado, o hábito da leitura constante e sistemática de qualquer tipo de literatura não é nada comum na maioria dos meios pelos quais circulamos. Por isso, a proposta do LabLei não pode afastar, mas antes atrair e ajudar aqueles que, com toda boa vontade, buscam o Laboratório, mas que apresentam grandes dificuldades, principalmente no começo. E assim, não só Histórias de Leitura plenas são aceitas, mas também as que com o tempo foram ganhando nome de História de meia Leitura, História de Leitura recém-começada, ou até mesmo História de desejo de Leitura...

Tal atitude por parte do coordenador não esvazia a seriedade da experiência, mas, muito pelo contrário, fortalece o caráter acolhedor e humanizador que caracteriza não apenas os fins do LabLei, mas também os seus meios. A experiência vem mostrando que os que vão ao encontro de Histórias de Leitura sem ter conseguido chegar ao fim do livro, ou mesmo mal havendo começado, saem não envergonhados ou desanimados, mas, sim, superestimulados a ler e, principalmente, abastecidos com uma série de dicas e aprendizados de como superar as mais variadas dificuldades encontradas. Pois, como faz parte do propósito das Histórias de Leitura narrar não tanto o que foi lido, mas o como se leu e o que se sentiu ao ler, não é incomum aparecerem soluções criativas e facilitadoras que, ao serem compartilhadas, trazem um forte poder sugestivo. Assim, por exemplo, a narrativa de um participante que, diante da impossibilidade de compreender um texto em verso (no caso o da *Divina Comédia*, de Dante Alighieri) começou, quase que de brincadeira, a ler em voz alta, a recitar. E qual não foi sua surpresa ao perceber que daquela forma conseguia compreender muito melhor do que com a leitura silenciosa. Ao compartilhar sua experiência no encontro de Histórias de Leitura, ele acabou por se tornar quase o herói do grupo, pois, depois disso, muitos confessaram terem não só avançado extraordinariamente bem na leitura, mas também começaram a perceber a grande beleza e profundidade da obra, que antes era quase impossível identificar.[10]

---

10 Neste mesmo âmbito, porém com uma perspectiva diferente ainda que igualmente útil, cabe ressaltar a grande relevância do compartilhamento de modos de arranjar tempo e situações

Além de demarcar o clima e o espírito que devem vigorar nos encontros do LabLei como um todo — marcado, como já dissemos, pela espontaneidade, franqueza e subjetividade —, de fundamentar todo o processo proposto a partir da experiência eminentemente estética e, de estimular e ajudar o grupo como um todo, o encontro de Histórias de Leitura é muito importante também por permitir objetivar os grandes temas e as grandes questões que emergiram das diversas leituras. Tais temas e questões, devidamente captados e colhidos pelo coordenador, irão delinear uma espécie de eixo condutor que, de certa forma, deverá nortear a etapa seguinte da experiência laboratorial, que é a do Itinerário de Discussão.

---

de leitura onde aparentemente não há, que surgem nas Histórias de Leitura. Pode-se dizer que, neste quesito, as soluções encontradas não apenas são extraordinárias como também revolucionárias. Não são poucos os que encontram tempo e meios de se tornarem leitores de frequência diária, sem, muitas vezes, ter de abrir mão de nenhuma outra atividade ou compromisso profissional ou familiar. Muitos acabam descobrindo por si mesmos aquilo que afirma Pennac, para quem "o tempo para ler é como o tempo para amar: é sempre um tempo roubado" (PENNAC, Daniel. *Como um romance*. Trad. Leny Wernec, Rocco, Rio de Janeiro. 1993, p. 118-9).

O ITINERÁRIO DE DISCUSSÃO

Explicávamos, logo no primeiro capítulo deste livro, que, ao se buscar compreender e propor a experiência do Laboratório como um meio efetivo de humanização, foi necessário rever certas perspectivas antropológicas que prevaleciam e ainda prevalecem no universo cultural dominante, marcado por princípios e crenças racionalistas, cientificistas e tecnicistas. E, neste sentido, fundamentados tanto na experiência empírica do LabHum/LabLei, quanto nos estudos teóricos (históricos e filosóficos) que foram desenvolvidos enquanto projetos de pesquisa, pudemos identificar que a efetividade do experimento se devia ao fato deste contemplar e abarcar não apenas uma, mas as três dimensões essenciais da experiência humana: a afetiva, a intelectual e a volitiva ou atitudinal.

Reconhecendo que toda proposta humanizadora deve partir da dimensão mais primária e essencial da vivência humana, que é a dos afetos, o Laboratório privilegia, como ponto de partida, a experiência estética. Entretanto, reconhecendo também que a dinâmica do ser humano em seu caminho de se tornar cada vez mais humano — ou seja, de humanização — não pode se limitar à dimensão afetiva, mas que, partindo do afeto, demanda necessariamente a participação da inteligência e da razão, a dinâmica do Laboratório permite e promove um segundo e indispensável nível de experiência, que é o da reflexão.

Para ir adiante no processo de humanização, não basta apenas despertar os conteúdos mais essenciais da existência; é preciso também refletir, trabalhar com eles, a fim de que os possamos compreender melhor e assim encontrar os significados que, por sua vez, acabam por refletir em nossa conduta. Em outras palavras, para que a experiência estética, essencialmente afetiva, possa contribuir para a nossa humanização, para o nosso aperfeiçoamento humano, é necessário que a tomemos como matéria de reflexão, movimento este que nos levará a identificar de forma significativa os princípios e valores que devem nortear nossa conduta de vida.

É nesse sentido, portanto, que se explica e se justifica o seguinte momento da metodologia do LabLei: o do Itinerário de Discussão.

Como mostramos no item anterior, por meio do compartilhamento das Histórias de Leitura, uma série de temas e questões emergem de forma candente e provocante. As dúvidas, desconcertos e perplexidades, assim como os sentimentos, as curiosidades e atrações, suscitadas na experiência estética da leitura e explicitadas no encontro inicial, passam a demandar um retorno, uma retomada mais específica e cuidadosa, para que se possa compreender melhor, analisar com calma e assim, quem sabe, chegar a uma conclusão mais definida; ter a oportunidade de descobrir, de aprender algo novo sobre essas tais questões essenciais da existência humana, tão importantes, mas, ao mesmo tempo, tão pouco valorizadas na dinâmica cotidiana da vida moderna.

Como, porém, organizar, sistematizar esse desejado trabalho de retomada e reflexão frente aos temas e questões suscitadas? Pronto se percebeu, na experiência do Laboratório, que todo rebuliço que o compartilhamento das Histórias de Leitura criava estava longe de ser acalmado em apenas um encontro de 90 minutos. Cedo se constatou que, para cada livro lido, fazia-se necessário um número considerável de encontros semanais, durante os quais se poderia ter a oportunidade de revisitar, de forma sistemática, pelo menos alguns dos temas mais candentes e assim poder aprofundar a reflexão.

Nos primeiros tempos, isso foi sendo feito de forma mais ou menos intuitiva, sem que nos preocupássemos, por exemplo, em definir um número limite de encontros para cada livro, ou quantas questões ou temas seriam discutidos e quando. A medida, entretanto, em que a experiência avançava e ganhava corpo e na medida em que as demandas externas no ambiente acadêmico e corporativo iam se impondo (definições como carga horária, metas, objetivos, etc.), vimo-nos obrigados a delinear de forma mais sistemática o Itinerário de Discussão.

Num primeiro momento, optamos por um norteamento temático, determinado pelas questões que surgiam durante o encontro de Histórias de Leitura. Tal procedimento, entretanto, apresentava alguns problemas. Funcionava bem, por exemplo, quando o livro proposto era pequeno (um conto, por exemplo) e assim todos ou a grande maioria dos participantes tinham tido a oportunidade de lê-lo por completo para o primeiro encontro, mas quando se tratava de livros um pouco mais longos, em que poucos tinham podido ler até o fim antes das Histórias de Leitura, ficava difícil definir um panorama temático mais abrangente, que correspondesse à amplitude que a obra merecia.

Assim, aos poucos, foi se chegando a um modelo que, sem deixar de levar em conta o norteamento temático, garantia o abarcamento da obra como um todo e possibilitava uma sistemática de leitura/releitura completa: o Itinerário de Discussão fundamentado na leitura sequenciada.

Este modelo de Itinerário de Discussão delineia-se a partir do reconhecimento da própria dinâmica narrativa da obra, estruturada em capítulos, partes ou atos, segundo o seu modelo ou gênero. Levando-se em consideração o tamanho da obra e sua organização em partes ou capítulos, estabelece-se o número de encontros e define-se as unidades correspondentes que serão abarcadas na discussão. Assim, diante de uma obra dividida, por exemplo, em quatro partes, o Itinerário de Discussão pode ser dividido em quatro encontros, cada um deles dedicado a uma parte. Quando, por outro lado, a divisão for por capítulos, o proponente/coordenador pode, procurando sempre, na medida do possível, respeitar a dinâmica narrativa da obra, propor um Itinerário de Discussão que se estruture num determinado número de capítulos por encontro.[11]

---

[11] Como, por exemplo, o Itinerário de Discussão adotado para a *Odisseia* de Homero, obra composta de 24 cantos: seis encontros, cada um abarcando quatro cantos. É recomendável que essa estruturação sequencial do Itinerário de Discussão procure sempre equilibrar o qualitativo com o quantitativo, ou seja, delineando divisões que respeitem de alguma forma os momentos ou "quebras" da narrativa e, ao mesmo tempo, consiga um bom equilíbrio de número de capítulos ou páginas para cada encontro. A longa experiência acumulada demonstra que esta fórmula é perfeitamente exequível.

A aplicação deste modelo de Itinerário de Discussão mostrou ser pertinente e eficaz não apenas por facilitar a dinâmica de leitura e/ou releitura das obras, como dissemos acima, mas também por permitir uma melhor organização da própria reflexão e discussão no contexto dos encontros. Isso porque a natureza mesma do LabLei, que promove e privilegia a livre e espontânea expressão de sentimentos, afetos e ideias, se, por um lado, produz um clima estimulante e envolvente, por outro apresenta a possibilidade de gerar a polarização excessiva frente a um tema ou questão, ou então, inversamente, a tendência a uma total dispersão, o que, em ambos os casos, compromete a qualidade do trabalho reflexivo e, consequentemente, da experiência laboratorial como um todo. O Itinerário de Discussão, como indica sua própria denominação, possibilita a organização do trabalho coletivo de reflexão por meio da sua "itinerarização", ou seja, delimitando pontos de partida e de chegada, sem, entretanto, prejudicar a espontaneidade e a liberdade que devem sempre estar presentes em cada encontro de discussão. Desta forma, o Itinerário de Discussão permite garantir, ao mesmo tempo: a leitura e/ou a releitura de toda obra; o trabalho reflexivo e de discussão ampliado e não polarizado ou limitado a um ou outro tema específico;

a organização mínima deste mesma atividade de reflexão coletiva que, de outra forma, tenderia inevitavelmente à dispersão e à sua consequente despotencialização.

É claro que o Itinerário de Discussão não se restringe ao simples trabalho de definir a melhor divisão de capítulos ou páginas de uma obra para cada encontro. Tal procedimento é apenas o primeiro passo numa dinâmica muito mais complexa e desafiadora, que envolve não apenas um cuidadoso planejamento, mas também uma intensa dedicação daquele que coordena na sua execução.

Nesse sentido, no contexto do Itinerário de Discussão, o coordenador do LabLei deve assumir, antes de tudo, uma postura semelhante à de um guia que conduz um grupo de visitantes por um determinado território. Ele já sabe, de antemão, onde é o ponto de partida e onde é o ponto de chegada da visita. Também já tem ele estipulado o número de horas ou dias que dispõe para realizar o roteiro, em suas diferentes etapas. E, assim, ele parte com o seu grupo. Para cada etapa do itinerário, uma paisagem — vasta, quase infinita. Por já tê-la visitado anteriormente sozinho e talvez outras vezes acompanhado, tem demarcado em sua memória e (o que é muito recomendável) no roteiro escrito que leva em mãos, uma série de pontos, referências e, principalmente, perguntas que ele entende ser relevantes, significativas para a compreensão e fruição daquela paisagem. Porém, porque ele sabe que a paisagem é forte e deslumbrante para suscitar reações e despertar sentimentos e reflexões, ele, num primeiro momento, apenas apresenta panoramicamente a paisagem daquela etapa — o que na dimensão concreta da dinâmica laboratorial corresponde ao coordenador relembrar de maneira sintética (panoramicamente) os fatos e acontecimentos referentes às partes ou aos capítulos definidos para aquele encontro. Ele evita, portanto — ainda que nem sempre seja fácil tal atitude — apontar para uma determinada direção ou ponto em especial. Ele deve saber esperar e deixar que sejam os próprios visitantes que comecem a apontar, a se manifestar.

É comum que os visitantes apontem ou chamem atenção para algum ponto ou parte da paisagem já familiar ao guia — um ponto ou parte, inclusive, que está marcada no itinerário impresso que ele leva nas mãos ou no espírito. Algumas vezes, entretanto, pode acontecer de um visitante destacar algum elemento nunca antes percebido, ou então apontá-lo a partir de uma perspectiva inédita, inusitada. Estes são os momentos em que o guia-coordenador percebe, prazerosamente, o quanto a paisagem-livro é de fato infinita e o quanto seu trabalho pode ser surpreendentemente rico.

E assim a visita segue... Muitas vezes sem ter de recorrer, uma única vez, ao seu roteiro de pontos e paisagens (de temas e questões), ele apenas constata o seu pleno cumprimento — não necessariamente na mesma ordem e na mesma perspectiva que ele a princípio tinha imaginado, mas, de qualquer forma, completamente —, como se os seus visitantes o tivessem lido e estudado com antecedência. Em outras ocasiões, entretanto, diante de um grupo mais embotado ou mais tímido, ele constata o quão importante é ter sempre à mão este roteiro de temas e questões, que desempenha um papel essencial enquanto promotor de reflexão e discussão.

E assim a visita segue... Com surpresas, questionamentos, descobertas, e novos questionamentos. Às vezes de forma mais intensa, quase dramática, emocionante. Outras vezes, de forma mais branda, calma, porém sempre interessante, sempre rica, de diversos pontos de vista e em diferentes graus de importância para as diferentes pessoas que participam da experiência.[12]

---

[12] Pode-se dizer que os encontros de Itinerário de Discussão do Laboratório de Leitura lembram, em certa medida, a dinâmica

Mas o tempo passa, e é tempo de finalizar a visita. Talvez fique a sensação (sobretudo para o guia-coordenador) de que muita coisa ficou sem ser vista, sem ser fruída, sem ser explorada, enfim, discutida. Mas não tem problema, pois ele sabe também que, por mais abrangente que tenha sido a visita, ela nunca será suficiente para abarcar tudo o que aquela paisagem (mesmo limitada a um conjunto de capítulos) pode oferecer —, pois apesar de limitada quantitativamente, ela é infinita do ponto de vista qualitativo.

O tempo acabou. A visita se encerra e o grupo se dispersa. Deixa-se aquela paisagem para trás, mas não o território, pois na semana seguinte se

peripatética e maiêutica dos *Diálogos* de Sócrates, como nos apresenta Platão. Ao longo dos encontros do Itinerário de Discussão, o coordenador deve, portanto, assumir uma postura mais próxima possível à do mestre ateniense: não a de um professor ou palestrante, que expõe e pontifica, mas a de um autêntico questionador, que propõe e pergunta, sabendo que, por mais que saiba, sabe que pouco ou nada sabe. A postura propositiva e questionadora de um coordenador do LabLei deve ser pois autêntica e não meramente estratégica ou retórica. E assim, por mais que ele tenha – e deva ter – sua tese, suas opiniões e suas respostas para as questões que surgem ou que ele mesmo tenha já formulado, ele deve estar sempre aberto para ouvir e aceitar opiniões e respostas inesperadas, que apontem visões e caminhos de reflexão novos, inusitados. Enfim, para ser um bom coordenador do LabLei deve-se ir aos encontros com sincero desejo de aprender, de ouvir e descobrir coisas novas sobre uma obra que talvez já tenha lido e discutido dezenas de vezes.

voltará a ele, para avançar, para ir adiante. Talvez já com saudade do que se deixou para trás, mas também com a ansiedade de ir em frente. Mas, será que tudo aquilo que acabou de acontecer ficou para trás? A visita terminou, o grupo se dispersou, mas o que será que ficou na mente, na memória e no coração de cada um que agora retoma suas atividades cotidianas?

A resposta nos é dada pelos próprios participantes do LabLei, como esta, pertencente a um grupo domiciliar: "Quando o coordenador diz que é preciso terminar porque já estourou o tempo, todos se olham com cara de espanto: 'já?! Já se passou uma hora e meia?!' E muitas vezes percebemos que na verdade já se passaram duas horas! E nós nem percebemos o tempo passar... Mas depois, quando estou no carro, voltando pra casa, percebo que minha cabeça ainda está lá, no Laboratório. Chego em casa e vou logo contando pro meu marido o que estava discutindo e ele me olha e acha que eu estou ficando louca! Mas no fundo ele sabe que tudo isso me faz muito bem; que me estimula, que me anima... Sabe que, muitas vezes, ainda continuo pensando nas coisas que falamos e discutimos no encontro quando estou na cama, pronta pra ir dormir. E não foi apenas uma vez que eu cheguei a sonhar com coisas que apareceram no Laboratório! E depois, ao longo da semana, no trabalho, em casa, com a família, algumas frases, algumas descobertas voltam e dão a possibilidade de olhar para as coisas de uma forma nova, diferente. Com certeza o Laboratório não se limita à leitura e aos encontros de duas horas uma vez por semana. O Laboratório me acompanha ao longo da semana!"

Parte central da metodologia do LabLei, o Itinerário de Discussão possibilita, pois, que à oportunidade de expressão e ao compartilhamento das experiências estéticas que a leitura suscita some-se também a ocasião de desenvolver um processo ao mesmo tempo trabalhoso e prazeroso de estudo, reflexão e discussão de uma obra literária. Processo esse que se realiza com o envolvimento não apenas da razão, mas também da emoção e que redunda não em meras conclusões teóricas e puramente intelectuais, mas que promovem descobertas e conhecimentos que impactam na dimensão ética e prática da vida, promovendo redefinições, mudanças, na forma de pensar e agir.

E não se pode deixar de explicitar que todo esse poderoso efeito humanizador do método deve-se também e fundamentalmente pelo fato de o processo se desenvolver numa dinâmica de encontro, partilha e experiência coletiva. A metodologia do LabLei comprova que, se não é impossível, pelo menos é muito melhor, mais fácil e mais rico pensar com o outro do que pensar sozinho. E, por outro lado, mas no mesmo sentido, prova também que só é possível humanizar-se com o outro, pois, neste caso, não há como fazê-lo sozinho.

HISTÓRIAS DE CONVIVÊNCIA

Num instigante conto intitulado "O Espelho",[13] João Guimarães Rosa traz à luz a paradoxal e controversa relação que o gênero humano estabeleceu com este curioso objeto que lhe devolve impiedosamente sua aparência. O narrador do conto pondera o quanto, desde tempos imemoriais, os homens sentem uma mescla de atração e pavor em relação aos espelhos e como, mais modernamente, tentamos resolver esta incômoda relação multiplicando-os: estando em todos os lugares é como se não estivessem mais em lugar nenhum.

Em certa medida, a quase onipresença do espelho em nossa realidade cotidiana se, por um lado parece advir da forte valorização do

---

13 ROSA, João Guimarães. "O Espelho" in *Primeiras Estórias*. 1ª Ed. Especial. Rio de Janeiro, Nova Fronteira, 2005.

narcisismo na cultura pós-moderna,[14] por outro, parece querer enfraquecer aquele seu intrínseco poder reflexivo que captura o olhar e o conduz para dentro, para as dimensões mais interiores do humano.

Tal experiência, a da introspecção, a de olhar para dentro de nós mesmos, sempre foi algo que nos apavorou, algo muito difícil e trabalhoso que procuramos evitar — não apenas pelo processo em si, mas também pelo fim, ou seja, pela intuição de que o que iremos encontrar lá dentro não será nada bonito e agradável. Mas como se não bastasse esse medo atávico, a Modernidade trouxe ainda como complemento uma outra noção: a da inconveniência. Agora, num sistema que necessita não de seres humanos pensantes, mas de autômatos que apenas produzam e consumam de forma alienada, a reflexão não apenas é algo desagradável, mas também inconveniente. E assim, o personagem-narrador do conto rosiano, tal como aquele do homônimo de Machado de Assis[15] (que serviu de base e inspiração para o

---

[14] LASCH, Christopher. *A Civilização do Narcisismo*. São Paulo, Companhia das Letras, 1984.
[15] MACHADO DE ASSIS. *O Espelho*. Campinas, Ed. UNICAMP, 2009.

escritor mineiro), vê, apavorado, a sua imagem ir-se esvanecendo no espelho à sua frente.

O esvanecimento da alma, o apagamento de si mesmo, fenômeno muito característico do processo de desumanização, deriva, portanto, do abandono da experiência da reflexão. Inversamente, qualquer proposta séria de humanização, que almeja devolver ao homem sua alma e, com ela, a sua saúde existencial, gravemente comprometida, requer recolocá-lo diante do espelho; envolvê-lo no processo de reflexão.

Tal processo, como nos mostra Guimarães Rosa, caracteriza-se por um trabalho exigente e árduo (ainda que, concomitantemente, desafiador e atraente), que envolve todas as faculdades e potências humanas — no âmbito dos afetos, da inteligência e da vontade — e que vai, pouco a pouco exigindo um aumento de compromisso e coragem.

No contexto do Laboratório de Leitura, no qual, em certo sentido, o livro pode ser visto como metáfora do espelho, este processo inicia-se com a experiência estética, que mobiliza os afetos, os sentimentos; prossegue com a dinâmica reflexiva desenvolvida coletivamente nos encontros de Itinerário de Discussão e, por fim, deve confluir para um momento de síntese que coroa todo esse movimento e que, de certa forma, propõe retomar os vários momentos da atividade num clímax de reflexão que enfeixe as três dimensões da experiência humana. Este momento conclusivo da experiência do LabLei é designado Histórias de Convivência.

Ao longo dos anos de experiência, cientes do poder mobilizador que o experimento laboratorial possuía, ao despertar afetos e desencadear reflexões, fomos observando que todo esse movimento não podia, apenas, ser interrompido sem um desfecho adequado. Nos primeiros anos, quando ainda tateávamos o sentido daquela experiência inusitada e apaixonante, costumávamos encerrar os ciclos de discussão de um livro a partir de motivos bastante diversos e arbitrários: em função de eventos externos à atividade, tais como o final do calendário acadêmico; ou então simplesmente porque "sentíamos" que havíamos "esgotado" os temas (doce ilusão). Ao encerrarmos assim cada ciclo do LabHum, Prof. Rafael Ruiz e eu costumávamos conversar sobre como aqueles participantes teriam aproveitado toda aquela experiência, toda aquela convivência com o livro, os encontros, as discussões. Foi então, que numa dessas ocasiões, o testemunho espontâneo e extemporâneo de um participante do Laboratório da EPM-UNIFESP nos inspirou a definir um momento e uma forma específica de encerrar os ciclos do Laboratório. Tendo nos encontrado casualmente na rua, depois de alguns meses de haver participado de um ciclo do LabHum, este estudante de medicina nos disse: "Puxa, como tenho sentido falta daquela nossa convivência!" E imediatamente passou a nos relatar tudo o que havia aprendido com o último ciclo do Laboratório: as coisas mais significativas, as ideias que haviam ficado e que passaram a nortear sua vida a partir de então... Ao nos despedirmos do querido estudante, Prof. Rafael e eu nos entreolhamos e pareceu-nos óbvio, a partir daquele momento, como deveríamos encerrar os ciclos do Laboratório. Surgiu assim a ideia das Histórias de Convivência.[16]

Desde o momento em que alguém se propõe a participar do Laboratório de Leitura inicia-se para ele uma história de convivência. Primeiro com o livro: uma experiência muito subjetiva

---

16 Cabe notar, inclusive, que foi a partir dessa ideia e dessa decisão de como encerrar os ciclos do Laboratório, que, na verdade, delineou-se a metodologia como um todo. Uma vez definido como fechar, foi fácil perceber e definir como abrir (Histórias de Leitura) e como prosseguir (Itinerário de Discussão). Este último, como já tivemos oportunidade de comentar no item anterior, foi ganhando forma e se aperfeiçoando mais lentamente, no desenrolar dos anos subsequentes.

e particular; uma experiência de convivência com a narrativa, com as personagens, tramas e acontecimentos. Uma experiência de convivência também com o autor e com os próprios sentimentos, afetos, ideias e questionamentos que a leitura do livro suscita, desperta. Depois, esta história continua com o momento do primeiro encontro, o das Histórias de Leitura, em que este participante terá a oportunidade de expressar o que anda sentindo e pensando a respeito de seu convívio com o livro, o autor, as personagens e, ao mesmo tempo, começará também a conhecer e a conviver com os outros participantes, com suas histórias, seus sentimentos, pensamentos, questionamentos. A medida em que os encontros vão se sucedendo, esta experiência de convivência vai se intensificando, em suas múltiplas dimensões: subjetiva, coletiva, estética, reflexiva... Ao longo de todo esse processo, quantas surpresas, quantos encontros, quantas perplexidades e, principalmente, quantas descobertas...

A dinâmica das Histórias de Convivência, aplicada na reunião de encerramento dos ciclos, apresenta-se, pois, como o momento de possibilitar ao participante realizar o balanço, a síntese de toda a experiência laboratorial vivenciada.

Ao explicar a metodologia logo no encontro de apresentação e, em outros momentos, ao longo do processo, sobretudo na reunião de fechamento do Itinerário de Discussão, o coordenador se encarrega de explicar o que são as Histórias de Convivência, procurando preparar os participantes para esse momento de conclusão. O que significou para você esta experiência? O que foi mais significativo? O que mais mexeu com você? Quais as principais descobertas que fez a respeito não apenas do livro, mas a respeito do mundo, do homem, de você mesmo? O que você guarda e leva consigo de toda essa experiência no LabLei? Eis as perguntas que o coordenador deve propor e relembrar aos participantes em cada ciclo do Laboratório.

A dinâmica das Histórias de Convivência demonstrou e continua demonstrando ser um recurso metodológico muito adequado e pertinente aos objetivos do Laboratório de Leitura. Para o coordenador, ela apresenta-se como uma excelente oportunidade de obter um indispensável retorno sobre a experiência que esteve coordenando. E para o participante, a oportunidade de ampliar a reflexão, de concretizar e de possibilitar que toda a experiência estética e reflexiva influa na dimensão ética e prática da vida. Ou seja, as Histórias de Convivência possibilitam a culminação do processo reflexivo que se opera ao longo de todo o ciclo e que acaba por impactar no âmbito das atitudes e ações; ou seja na dimensão da vontade.

E justamente por se tratar de uma etapa de síntese e culminância de todo esse envolvente e intenso processo estético e reflexivo, o encontro de Histórias de Convivência costuma caracterizar-se como o momento mais fortemente emotivo da experiência laboratorial. Quando o impacto da leitura e das descobertas foi forte para mexer com conteúdos mais profundos, tocando inclusive em pontos sensíveis, em momentos da vida também delicados, o trabalho de elaboração e, principalmente, de expressão por intermédio da narrativa testemunhal pode desencadear fortes emoções, culminando, muitas vezes, em embargos e choro por parte de quem está narrando. Diante disso, o coordenador deve estar consciente de que tais reações não apenas são normais, mas inclusive positivas, levando-se em conta o fato de existirmos não apenas porque pensamos, mas também porque sentimos. Assim, reações emocionais devem ser encaradas como elementos pertinentes à experiência do Laboratório de Leitura, e a postura do coordenador frente a isso deve ser aquela que se espera de quem está propondo uma atividade com finalidade humanizadora: respeitosa, acolhedora, compreensiva.[17]

Por fim, a par dos relatos orais que caracterizam o momento das Histórias de Convivência, muitos são os participantes que elaboram relatos escritos de suas experiências e descobertas frente ao ciclo do Laboratório. Tal prática, na verdade, surgiu no momento em que o Laboratório se instituiu como atividade acadêmica curricular na Escola Paulista de Medicina. Para que os alunos pudessem fazer jus aos créditos atribuídos à disciplina, era obrigatório que eles fossem avaliados por meio de uma prova ou trabalho escrito. Diante disso, instituímos então o Relato de Experiência como meio de avaliação.

---

17 A experiência tem mostrado que as pessoas que se emocionam nos encontros do LabLei, principalmente nas Histórias de Convivência, tendem, invariavelmente, a pedirem desculpas. De minha parte, frente a isso, costumo responder que não é preciso pedir desculpas por sermos humanos. Interessante considerar a que ponto de desumanização chegamos quando nos constrangemos e nos vemos forçados a pedir desculpas ao nos emocionarmos em público — como se a emoção fosse quase uma espécie de pecado social. Por outro lado, alguns pesquisadores já me questionaram sobre os perigos de uma reação emocional mais exacerbada que pode ocorrer nestes encontros. É curioso, entretanto, que em quase 20 anos de experiência, nos mais diversos cenários, nunca nos deparamos com um caso dessa natureza. Muito provavelmente alguma característica própria da metodologia do Laboratório acabe determinando uma força de contenção ou de defesa a tais fenômenos. Tal tese merece ainda ser investigada.

Longe de ser uma prova, como o próprio nome indica, este trabalho consistia (e ainda hoje consiste) numa versão escrita da História de Convivência de cada participante. Extrapolando sua utilidade meramente acadêmica, os Relatos de Experiência acabaram por se constituir em interessante e potente instrumento colaborativo, tanto para o processo reflexivo e humanizador dos participantes, quanto para o processo de conhecimento e aperfeiçoamento do próprio Laboratório.

Ultrapassando os limites acadêmicos, o Relato de Experiência tem sido adotado, de forma voluntária, por um grupo cada vez maior de participantes do Laboratório de Leitura, nos vários âmbitos em que ele vem sendo desenvolvido; seja em grupos domiciliares, institucionais ou corporativos. Tal relato — corroborando com o que se tem pontuado sobre as qualidades e importância da Escrita Reflexiva — não apenas demonstra ser uma excelente ferramenta para uma maior sistematização e aprofundamento da experiência de reflexão, como também para o desenvolvimento da própria expressão escrita. É interessante observar como, através do recurso dos Relatos de Experiência, o LabLei, que a princípio propõe-se como uma atividade de incentivo e formação de leitores, acabou por se apresentar também como um espaço de revelação e desenvolvimento de escritores. Não são poucos os relatos que apresentam um surpreendente grau de qualidade e criatividade.

* * *

Havendo se desenvolvido de forma orgânica, na confluência entre a experiência empírica e o estudo teórico e reflexivo, a metodologia do Laboratório de Leitura configurou-se num caminho que se constitui ao caminhar, como costumava cantar o poeta espanhol Antonio Machado. Estruturada a partir da vivência espontânea da experiência de compartilhamento de leituras, uma vez percebido e delineado o seu potencial humanizador, a metodologia do LabLei amoldou-se aos seus objetivos, respeitando uma certa fundamentação antropológica e procurando desencadear uma mudança atitudinal como resultado de uma experiência estética e reflexiva. A pertinência e eficácia desta metodologia, entretanto, deve ser avaliada não apenas por sua coerente lógica interna (como procurei demonstrar neste capítulo), mas, principalmente, pelo impacto que causa naqueles que por ela são afetados. Assim, no capítulo que se segue, tomando como base os relatos orais transcritos produzidos nos encontros de Histórias de Convivência e nas entrevistas posteriores com os participantes (seguindo a metodologia da História Oral de Vida), e os Relatos de Experiência, será possível apresentar a efetiva eficácia humanizadora desta metodologia em termos vivenciais.

4 | Os efeitos: o Lablei, a humanização e a saúde da alma

EXPERIMENTANDO O PRÓPRIO REMÉDIO

Em seu Evangelho, Lucas[1] narra que, pouco tempo depois de haver iniciado a sua vida pública, Jesus retorna a Nazaré, a cidade de sua infância, onde havia sido criado. No sábado, dia sagrado para os judeus, ele se dirigiu à sinagoga, onde foi convidado a fazer a leitura da Escritura e comentá-la. A expectativa era enorme, pois todos já tinham ouvido falar das coisas extraordinárias que ele andava fazendo e falando em outras localidades da Judéia e da Galileia. A atitude

---

1 Lc. 4, 14-30. Ref. Bíblia de Jerusalém. São Paulo, Paulus Editora, 2002.

predominante, entretanto, era de incredulidade, e Jesus nota isso. Foi neste contexto, então, que ele atribui a si mesmo o adágio — que já então deveria ser famoso — "Médico cura-te a ti mesmo", como explicitação do pensamento que estava na mente dos nazarenos, mas que ainda não tinham tido coragem ou tempo de pronunciar. Afinal, aquele que aparecia diante deles e que eles conheciam tão bem (filho do carpinteiro, parente de grande parte daqueles que estavam ali presentes) nada demonstrava de diferente e muito menos indicava sinais evidentes de que se tratava do Profeta prometido, o Filho de Deus.

A partir de então, esta expressão, "Médico cura-te a ti mesmo", apresenta-se, na Tradição Ocidental, como uma forma de advertir que, ao propor algo para os outros, o proponente deve, antes, experimentar em si mesmo.

Muitos séculos depois, quando a Medicina começa a ser encarada como uma ciência empírica, Samuel Hahnemann, considerado o pai da Homeopatia, resolveu levar a recomendação evangélica ao pé da letra, testando os medicamentos que desenvolvia em si mesmo e em seus colaboradores mais próximos.[2]

---

2 LAÍN ENTRALGO, Pedro. *La Historia de la Medicina.* Alicante, Biblioteca Miguel de Cervantes, 2014.

Diante disso, pode-se afirmar que, ainda que tal procedimento não assegure de forma definitiva e universal a eficácia e segurança de um remédio ou proposta, ele pelo menos traz uma base de conhecimento e confiança bastante razoável para quem a está propondo ou administrando.

Tal consideração introdutória visa ilustrar a maneira como pretendo iniciar a descrição e análise dos chamados efeitos do Laboratório de Leitura em seus participantes: começando pelos efeitos que causaram em mim. Pois foi justamente por haver sentido em mim mesmo e nos colaboradores mais próximos os surpreendentes efeitos desta atividade de leitura e de encontros para conversar sobre os clássicos da literatura universal, que percebi o seu poder mobilizador e transformador (em uma palavra, humanizador) e que, a partir de então, passei a encará-la como uma proposta de formação e humanização para vários âmbitos e setores da sociedade.

Como narrei no primeiro capítulo deste livro, o Laboratório foi surgindo de uma forma espontânea, não programada. E neste contexto de total liberdade e experimentação, o impacto da experiência da leitura e do compartilhamento desta naqueles encontros semanais foi algo marcante. É claro que eu, assim como todos que naquela ocasião nos reuníamos, já tínhamos lido senão muitos, pelo menos alguns livros de ficção, inclusive clássicos. A experiência de ler, entretanto, com a perspectiva de levar nossas impressões, sentimentos e questionamentos suscitados por aquela mesma leitura para o encontro apresentou-se como algo novo e inusitado. Pode-se dizer que ler com essa perspectiva determina uma postura absolutamente diferente de uma leitura solitária, ou seja, que começa e termina em nós mesmos. Nesse sentido, portanto, já foi possível perceber que ler daquela forma, visando o compartilhamento no encontro, não apenas era diferente, mas também mais instigante e, também, mais prazeroso.

E se a experiência solitária de leitura já apresentava um novo matiz, qual não era o prazer, a satisfação e a emoção que se experimentava nos encontros semanais. Como era bom ter com quem compartilhar aqueles sentimentos, afetos, ideias e questionamentos suscitados pela leitura! Como era emocionante observarmos as coincidências na maneira de sentir e de pensar, e como era instigante o confronto de percepções e opiniões divergentes. Era evidente, para todos nós, o quanto toda aquela experiência possibilitava uma abertura de horizontes, proporcionando uma oportunidade única e inestimável para se pensar naquelas questões essenciais da nossa existência (o amor, a morte, o sentido da vida, as escolhas, dentre tantas outras) e que a dinâmica da vida moderna praticamente impede de serem sequer lembradas. Rapidamente, para todos nós, aqueles encontros foram se tornando o ponto mais alto e mais esperado da semana; um momento de encontro de cada um consigo mesmo e de cada um com os outros, compartilhando anseios e inquietações semelhantes.

Além de toda essa experiência intensa e ampliadora que os encontros semanais proporcionavam, percebia também em mim e nos outros o quanto aquele compromisso acabou por desencadear uma dinâmica de leitura sistemática, cotidiana. A partir de então, a leitura de livros de ficção e, cada vez mais, dos clássicos, passou a fazer parte integrante de nossas vidas, algo novo para mim e também para os outros participantes do grupo. Dessa forma, começamos a perceber que aquele instigante, prazeroso e envolvente processo estético-reflexivo se espraiava para além do momento dos encontros semanais, fazendo-se presente na dinâmica da vivência cotidiana.

Como já tive a oportunidade de narrar (Capítulo I), neste momento embrionário, o Laboratório não passava ainda de uma atividade extracurricular que acontecia na hora do almoço das sextas-feiras e que representava, mais que tudo, uma espécie de oásis no deserto árido da vida cotidiana. E isso não apenas por causa dos encontros de sexta-feira que esperávamos com ansiedade e que impactavam pelo resto da semana, mas também pelo compromisso da leitura que passou a nos acompanhar diariamente, trazendo um componente novo e estimulante para a vida.

Com o passar do tempo, entretanto, a consolidação e ampliação da experiência, possibilitando uma observação mais efetiva dos seus efeitos e do seu potencial, aliado ao nosso crescente envolvimento com a temática da formação humanística e humanização na área da saúde, levou-nos a iniciar (não sem hesitações) um processo de "academicização" do Laboratório, o que significou não apenas o seu credenciamento como atividade oficialmente acadêmica (primeiro em âmbito de extensão e, logo em seguida, enquanto disciplina de graduação e pós-graduação), mas também a sua efetiva sistematização metodológica e a sua instituição enquanto objeto de pesquisa científica.

A partir de então, os primeiros projetos de pesquisa sobre o Laboratório começaram a ser desenvolvidos, possibilitando identificar, de forma mais ampla e sistematizada, os impactos e efeitos desta experiência em diversos cenários e públicos, em diferentes níveis de aplicação e tempo.

Com o passar do tempo, foi se consolidando uma verdadeira linha de pesquisa, inclusive com desdobramentos internacionais, e que pouco a pouco começou a se destacar como uma referência no âmbito das humanidades e humanização em saúde. Concomitantemente a todo este movimento de consolidação e investigação do Laboratório no campo da saúde, iniciávamos também as primeiras experiências do Laboratório para além deste território médico-acadêmico: em espaços culturais e corporativos.

Aplicando a mesma metodologia já consolidada em anos de experiência universitária, pudemos logo verificar como, de maneira geral, os efeitos humanizadores identificados e analisados nas pesquisas sobre o LabHum tendiam a se repetir nestes novos grupos, caracterizados por um perfil bastante diversificado e amplo. Por outro lado, experiências e efeitos muito peculiares, em certa medida específicos dos grupos de Laboratório de Leitura, começaram a chamar não só a nossa atenção (coordenadores), como também a de alguns participantes, que nos apontaram o incrível potencial desta metodologia enquanto meio de formação e humanização no contexto corporativo das empresas, tão carente de atividades e recursos deste tipo.

Um destes participantes de um dos grupos domiciliares do Laboratório de Leitura, engenheiro de formação e envolvido no mundo coorporativo há muitos anos, interessou-se inclusive em desenvolver um trabalho acadêmico sobre a aplicação e os efeitos do Laboratório de Leitura no universo das empresas, concebendo para isso um projeto de mestrado que se integrou e ao mesmo tempo ampliou a linha de pesquisa que vínhamos desenvolvendo na EPM-UNIFESP.[3]

Foi então que o Laboratório de Leitura começou a ser aplicado no contexto de grandes empresas, começando pela Natura, que nos abriu as portas em 2012, seguida de outras, seja de forma contínua ou esporádica, desde então.

Os resultados que aqui apresento, portanto, provêm do desenvolvimento desta experiência em cenários não acadêmicos, campo específico do Laboratório de Leitura, com ênfase nos domiciliares e corporativos.

Os primeiros, como já tive a oportunidade de comentar no primeiro capítulo, tiveram sua origem em espaços culturais como Casa do Saber, migrando depois para espaços domiciliares (daí a sua denominação) e, que hoje prosseguem tanto em endereços privados quanto no espaço cultural

---

3 Refiro-me ao trabalho de pesquisa já citado que partiu da experiência do LabLei na Natura.

criado para acolhê-los: a Casa Arca. Esses grupos, constituídos, em média, de oito a treze participantes, congregam pessoas das mais variadas idades (de 15 a 85 anos), dos mais variados níveis sócio-culturais e de formação. Esta diversidade de *background* e interesses traz um inegável componente enriquecedor para esses grupos que cumprem um interessante papel social, com um promissor potencial transformador.

Os grupos corporativos, por sua vez, se constituíram a partir de projetos específicos com fins investigativos e, mais recentemente, também comerciais — na medida em que todo esse movimento acabou fomentando a criação da Responsabilidade Humanística®, projeto empresarial que procura conscientizar o mundo corporativo sobre a necessidade de investimento no desenvolvimento humano por meio da oferta de atividades de formação humanística (como o LabLei), enquanto elemento integrador e amplificador do conceito de sustentabilidade[4] — que,

---

4 Sobre o conceito de Responsabilidade Humanística ver http://casaarca.com.br/atividades/responsabilidade-humanistica/

partindo da experiência piloto na Natura, foram se propondo e desenvolvendo em outros espaços. Mais recentemente, graças a uma parceria com o ISE-IESE Business School, o LabLei vem também sendo aplicado nos programas internos do instituto (MBA, PMD e outros), assim como nos programas *in company* que a escola desenvolve em empresas como Banco Bradesco, Santander, entre outras. Neste contexto, aplicado muitas vezes com o título de "Programa de Ética e Literatura", a disciplina é geralmente cursada por líderes e gestores (diretores, gerentes, etc.) de uma (*in company*) ou várias empresas (MBAs), ou mesmo por altos dirigentes e empresários de um mesmo grupo ou de vários (PMDs).

Na confluência do que já vem sendo estudado sobre o Laboratório de Humanidades, os efeitos do Laboratório de Leitura em seus participantes apontam elementos de grande potencial transformador, que contribuem para a humanização não apenas dos indivíduos como das empresas ou do ambiente social em que estas atuam.

A seguir passamos a apresentar de maneira sistemática esses efeitos mais perceptíveis, tomando como base a experiência de quase duas décadas de aplicação, registrada em forma de gravações dos encontros, narrativas escritas e orais, colhidas não apenas ao final dos ciclos, mas de forma deliberada para fins de pesquisa, pela metodologia da História Oral.[5]

EFEITO 1: O LABLEI DESPERTA E POTENCIALIZA A EXPERIÊNCIA DA LEITURA

Num primeiro momento, pode-se imaginar que a proposta do LabLei seja atraente sobretudo para as pessoas que são já amantes da leitura, da literatura, enfim, que pelo menos gostem de ler. E, de fato, num certo sentido isso é verdadeiro. Por outro lado, ao longo desses anos de experiência, pudemos perceber que muitas pessoas se aproximaram do Laboratório na esperança de desenvolverem o hábito da leitura ou mesmo de aprenderem a ler esse tipo de literatura mais complexa, mais rica, a dos clássicos. E ainda, em alguns outros casos, principalmente em cenários corporativos em que o Laboratório foi proposto como atividade de "treinamento", constatamos em muitos participantes até certo ponto

---

[5] É difícil calcular o número de pessoas que já passaram pelo menos uma vez (um ciclo completo) pela experiência do LabLei. Para produzir este estudo, tomamos como base os registros de mais de 250 pessoas diferentes, que participaram do LabLei em mais de uma ocasião.

compulsórios a surpresa por descobrirem de que são capazes de ler, compreender e se encantar com os clássicos da literatura universal.

De qualquer modo, seja de forma voluntária e deliberada, seja inadvertida ou mesmo inesperada, um dos efeitos mais primários e evidentes do LabLei em seus participantes é, sem dúvida, provocar a descoberta do prazer e da riqueza da leitura compartilhada dos clássicos da literatura.

Para aqueles que já eram amantes da leitura, o LabLei ajudou a potencializar esse gosto, revelando novas dimensões dessa experiência. Como relata um participante assíduo de um grupo domiciliar:

"Me atraiu a proposta do Laboratório de Leitura porque eu já gostava muito de ler e sempre li muito, inclusive os clássicos. Mas depois, ao começar o Laboratório, percebi que apesar de haver lido muito, na verdade não tinha lido nada. Quer dizer, antes eu simplesmente lia e essa leitura me era prazerosa e interessante, além de me ajudar a passar o tempo, a me divertir. Depois da experiência de ler no Laboratório de Leitura, descobri que na verdade a leitura pode ser muito mais do que isso; que ela pode ser uma forma de estudo, de conhecimento; algo que, sem deixar de ser prazeroso (aliás, muito pelo contrário, pois hoje leio até com muito mais prazer do que antes) e divertido, é também muito sério e transformador."

Já outro participante desta mesma categoria (de leitor assíduo) revela:

"Eu sempre fui de ler muito, mas até chegar no LabLei nunca tinha feito essa experiência de ler com a expectativa de me encontrar com outras pessoas que estão lendo o mesmo livro que eu. Isso é fantástico, completamente diferente de ler sozinho; de ler e ficar com a leitura só pra você mesmo. Nossa, como a gente começa a ler diferente! É muito melhor! Tanto é assim que quando, hoje em dia, eu leio um livro por mim mesmo, fora do LabLei, sinto como se aquela leitura não fosse completa, como se fosse uma leitura que não valeu. É muito melhor quando a gente lê uma coisa que depois vai ter a oportunidade de conversar a respeito, de ouvir o que as outras pessoas têm a dizer sobre ela e de a gente ter a oportunidade de falar sobre o que a gente sentiu, entendeu, gostou ou não gostou."

À primeira vista, parece óbvio o fato de o LabLei interessar às pessoas que já gostam de literatura, porém, se paramos para refletir mais a respeito disso, surge-nos a questão do porquê então alguém que já lê procurar uma atividade que propõe o desenvolvimento da leitura? Os testemunhos desses participantes do LabLei indicam que muitos dos amantes da leitura e dos leitores assíduos parecem estar buscando (ainda que nem sempre de forma consciente) algo mais na experiência da leitura: um nível de profundidade maior, uma oportunidade de compartilharem suas impressões ou de adquirirem novas perspectivas desta mesma leitura. De qualquer forma, entretanto, é interessante observar como o Laboratório de Leitura é algo que não apenas agrada aos leitores assíduos como os ajuda a irem além em seu amor e a aperfeiçoarem sua experiência e prática de leitura.

Neste sentido do aperfeiçoamento, cabe apresentar o testemunho de um leitor assíduo a quem faltava, entretanto, maior disciplina:

"Sempre gostei de ler e achava até que lia muito, mas sem muita ordem, sem nenhuma disciplina. Começava a ler um livro e então deixava pela metade. Depois pegava outro e aí, depois de um tempo, também deixava e voltava para o que tinha largado. Mas aí, como já não me lembrava bem da história, tinha que começar tudo de novo e assim por diante... Depois que comecei a fazer o Laboratório de Leitura, passei a ter mais disciplina, a desenvolver uma sistemática de leitura. O Laboratório acaba te impondo um compromisso. Desde então, começo e termino todos os livros. Além disso, graças ao Itinerário de Discussão, consigo me organizar para ler um número 'X' de capítulos, de páginas, por semana. Isso tem me ajudado muito. Tenho lido muito mais e melhor do que fazia antes de participar do Laboratório."

Ainda dentro deste âmbito, é comum constatarmos um outro efeito do LabLei nos participantes já leitores: a descoberta da importância e do prazer da releitura (já destacada no capítulo anterior). Conta-nos uma participante de um grupo corporativo:

"Sempre gostei de ler e geralmente sou rápida na leitura. Quando iniciamos os ciclos no Laboratório eu sempre chego com o livro todo lido! Sou uma das poucas que consegue essa façanha (sic)! Inclusive no primeiro ciclo de que participei eu pensei: 'Puxa, e agora, eu já li o livro todo. O que eu vou ficar fazendo aqui nas próximas três semanas?' Então o coordenador explicou o sentido do Itinerário de Discussão e disse que era uma boa oportunidade para os que já tinham lido o livro todo poderem reler. E aí eu pensei: 'Reler?! Pra que reler? Nossa, que perda de tempo!' E isso mesmo tendo gostado do livro... Bem, mas como sempre fui muito certinha e 'Caxias', obedeci e comecei a reler o livro de acordo com o Itinerário. Nossa, foi uma descoberta! Foi muito legal! Realmente é como se a gente estivesse lendo outro livro! Tanta coisa que me havia escapado, tanta coisa que não tinha entendido direito. A experiência do Laboratório me mostrou que a releitura é tão legal quanto a leitura em si, e até melhor! Desde então, sempre que possível, passei a ler e a reler todos os livros e isso me acrescenta muito. Além de ser um grande prazer..."

É interessante e estimulante verificar que o LabLei propicia uma excelente oportunidade de aprimorar e aperfeiçoar a experiência de leitura daqueles que já são leitores assíduos e mesmo amantes da leitura, fomentando descobertas e ampliando ainda mais seus horizontes.

E se assim é para os leitores habituais, pode-se então imaginar o que tem significado o LabLei para aqueles que nele chegam com pouca ou nenhuma familiaridade com os clássicos da literatura.

"Venho de uma família muito simples. Meu pai era um homem muito simples, mal chegou a completar os estudos, mas valorizava muito o conhecimento e a cultura. Era muito trabalhador e não deixava faltar nada em casa. Procurou sempre que estudássemos nos melhores colégios que ele podia pagar e, principalmente, todo dinheiro que sobrava ele investia na compra de livros, livros bons, principalmente clássicos. E assim, conforme meus irmãos e eu íamos crescendo, víamos a biblioteca da sala ir aumentando. Quase todo dia meu pai chegava com um livro novo e colocava na estante, dizendo: 'Mais um pra coleção de vocês!' Nós olhávamos aquilo e não dávamos muita bola. Ele mesmo não lia, dizia que não tinha condições suficientes para ler aquilo, mas que sabia que era muito bom e que nós um dia iríamos ler. E assim a estante foi se enchendo de livros. De vez em quando eu dava uma olhada. Tinham muitos daqueles clássicos da Editora Abril, de capa dura, vermelha... Eu então olhava os nomes dos autores — nomes difíceis, estrangeiros —, o título dos livros e tudo me parecia algo tão difícil, tão distante... Folheava aqueles volumes grossos, com aquelas páginas que não acabavam mais.... Meu Deus, quanta letra, quantas palavras! Sabia que havia algo de muito importante e sério lá, mas quando tentava de fato ler algum daqueles livros quase não entendia nada... Me dava um sono, ou então um desespero... Com o tempo fui deixando de lado aquilo tudo; fui desistindo. Imagino o quão doloroso deve ter sido para meu pai, pois nenhum de nós, de seus filhos, se interessou por aquela biblioteca. Ele até que tentava, incentivando, pedindo, mas nós estávamos interessados em outras coisas... E assim, a biblioteca foi ficando como uma simples peça de decoração na sala. As pessoas que iam nos visitar se espantavam ao ver tantos livros e nos perguntavam sobre o que falavam, mas a gente nem tinha o que responder, porque nenhum de nós tinha lido nenhum daqueles livros, pelo menos não um inteiro...

"Quando meu pai morreu, minha mãe quis doar todos aqueles livros — 'Nunca ninguém nem mexe nesses livros, fica só juntando pó', disse ela —, mas nós não deixamos; era como se estivéssemos desrespeitando a memória de nosso pai. E depois, eu ainda tinha esperança que algum dia eu mesma iria começar a ler aqueles livros; não sei, alguma coisa me dizia que era pra deixar os livros lá... E assim foi ficando e assim foi passando o tempo, até que um belo dia uma amiga veio me falar que estava participando de um grupo de leitura e que estava adorando, que estava transformando a vida dela. Ela estava tão animada e falava tanto desse tal de Laboratório! Ela me dizia que já tinha lido uns quatro livros maravilhosos e que os encontros eram fantásticos e que ela ia começar a ler um livro do Dostoiévski. Na hora lembrei desse nome e disse pra ela que eu tinha esse livro em casa. Ela então me disse: 'Por que você então não aproveita e vem também? Vem, você vai ver que é demais!' Eu então respondi que aquilo não era para mim, que eu não conseguia ler um livro daqueles tão grosso e tão difícil. Mas ela insistiu tanto que eu acabei indo. Fui na primeira reunião, das Histórias de Leitura, sem obviamente ter lido nada. Trazia apenas o livro do Dostoiévski embaixo do braço.

"Qual não foi minha surpresa ao encontrar lá não apenas pessoas cultas, estudadas, mas também gente 'normal', gente comum assim como eu que estava lendo Dostoiévski pela primeira vez e que falava sem vergonha das dificuldades que estava tendo e também das surpresas; que não era assim tão difícil como parecia e que estava até gostando! Isso me animou muito! E então, depois o coordenador também deu umas dicas muito boas e passou um número bastante razoável de capítulos pra gente ler até a semana seguinte. Saí de lá tão animada que já comecei a ler o livro no metrô, voltando pra casa. A partir daí não parei mais. Aquele encontro foi não só um incentivo, mas acho até que uma libertação — não era preciso que eu entendesse tudo e, caso tivesse alguma dúvida, podia trazer no próximo encontro, sem medo, sem vergonha.

"Nossa, que descoberta! Descobri que eu sabia, que eu podia ler aqueles livros todos; que aquilo tudo não estava escrito para pessoas de outro nível de inteligência, mas para gente normal e meio ignorante como eu! Ah, meu Deus, como fiquei emocionada só de imaginar meu pai! Finalmente eu estava realizando o sonho dele. Finalmente um de seus filhos estava usando aquela biblioteca, lendo aqueles livros... E tudo isso por causa do Laboratório de Leitura... Hoje não fico um dia sem ler um par de páginas que seja. Se não leio algo, parece que falta alguma coisa. É quase como se fosse passar um dia sem comer ou sem beber água. E aquela estante, aquela biblioteca do meu pai, deixou de ser um peça de decoração; ela ganhou vida, os livros ganharam vida! E agora sou eu quem está comprando livros e fazendo aquela biblioteca crescer. O Laboratório de Leitura me transformou numa leitora. E isso quando eu menos esperava. Ah, como meu pai, esteja onde estiver, deve estar contente com isso!"

O Laboratório de Leitura tem se apresentado como um meio bastante eficaz de "resgate" da grande literatura, "sequestrada", como diz Todorov, pela crítica acadêmica especializada nas últimas décadas. Tal como na emocionante narrativa da participante que reproduzimos acima, são dezenas os testemunhos que apontam como o Laboratório age como despertador de novos leitores dos clássicos, antes considerados por estes como inacessíveis.

"Quando vi que o livro proposto para o próximo ciclo era a *Divina Comédia*, de Dante Alighieri, pensei: 'Agora ferrou. Esse não vai dar nem a pau!' E, de fato, quando peguei o livro vi que era tudo em verso! 'Como assim, um livro de três volumes tudo em verso, tudo em forma de poema?! Não, infelizmente esse não vai ser possível. Eu nunca li nada de poesia; não gosto de poesia; não consigo entender nada...'. Mas o coordenador insistiu e garantiu que eu conseguiria; que talvez fosse mais difícil no começo, mas que a medida que eu avançasse na leitura iria ficando mais fácil... Ele costuma dizer que todo clássico tem seu preço e, que se estivermos dispostos a pagar vamos ter um retorno incrível... E foi exatamente isso que aconteceu. Comecei a ler sozinho e então, obviamente, não entendi quase nada. Essa foi a primeira surpresa, pois pensei que não ia entender nada, mas no fim não foi nada, mas quase nada. Acho que a experiência adquirida no LabLei lendo outros livros já começava a fazer diferença.

"Fui para o encontro de Histórias de Leitura sem ter passado do terceiro canto do Inferno e, claro, vi que não era só eu que estava tendo dificuldade. Mas então, compartilhando nossas impressões e opiniões, começamos a perceber que tínhamos entendido muito mais do que pensávamos. Isso porque Dante fala de coisas que tem a ver com a vida, com a experiência humana; coisas que nos são comuns e eternas. Então, ainda que a forma e o estilo nos sejam, até certo ponto, distantes e estranhos, o conteúdo, o sentido, parece que fala por si. As imagens, os sentimentos aparecem de alguma forma, como mágica. E então, é incrível, começamos a compreender! Lembro que um dos colegas disse que para ele havia ajudado muito ler em voz alta, pois ele pensou que poesia era algo pra ser recitado, e não simplesmente lido. Achei aquilo genial e, quando voltei para o livro segui o conselho. E não é que funcionou?! Comecei a entender cada vez mais e melhor, como se tivesse aprendido uma língua nova, a língua do Dante Alighieri — não o italiano, pois eu li a tradução em português, mas a do Dante mesmo, a da *Divina Comédia*. Depois, com o tempo, comecei a perceber que cada autor e cada livro tem seu próprio 'idioma' e que é preciso aprender esse idioma para compreender bem a obra. E que a única forma de aprender esse idioma é lendo, lendo e relendo a obra. Isso é algo que só mesmo o Laboratório ensina; ou melhor, é só no Laboratório que temos oportunidade de fazer esse aprendizado, porque o Laboratório permite que a gente gaste um tempo com o livro e, claro, ajuda a que a gente não desista. O Laboratório nos compromete com a leitura. Os encontros dão um grande apoio, uma grande força. Sou muito agradecido ao Laboratório. Se não fosse o LabLei eu nunca teria lido a *Divina Comédia* e muitos outros livros. E hoje vejo que diferença faz, em minha vida, ter lido essas obras, mas especialmente a *Divina Comédia*. Sou outra pessoa depois dessa experiência."

A leitura de um clássico da literatura como a *Divina Comédia* por exemplo, apresenta-se aqui não apenas como um feito intelectual e cultural, mas também como uma experiência transformadora e enriquecedora do ponto de vista humano, algo que impacta na vida, na dimensão essencial da existência. É tal experiência que, na sua força, mobiliza e justifica o preço a ser pago, o esforço a ser feito para ler a obra e aprender o seu "idioma". A dinâmica do LabLei parece, pois, possibilitar a vivência dessa particular experiência de leitura que desperta e cativa não apenas leitores como também não leitores, constituindo-se assim num meio muito interessante de formação de novos leitores.

"Sempre ouvia dizer — comenta uma outra participante de grupo domiciliar — dos grandes benefícios do hábito da leitura, principalmente da leitura de bons livros. Mas só depois que comecei a frequentar o Laboratório de Leitura é que passei a perceber e a experimentar esses benefícios em mim mesma. E o primeiro deles é de haver descoberto no livro um refúgio e uma companhia. Antes eu tinha o costume de gastar muito tempo com nada de proveitoso: televisão, internet, redes sociais... Agora, com o compromisso do Laboratório, aproveito muito mais o meu tempo. Em vez de ficar 'stalquiando' no Facebook, 'zapiando' a esmo na tv, pego meu livro, vou para o meu cantinho e começo a ler. É um outro tipo de experiência; é difícil de explicar; é algo mágico... O livro me faz esquecer de mim, de tudo... Eu relaxo, viajo, me emociono... E penso, penso muito. Agora já peguei o hábito de ler com um lápis na mão e, assim vou riscando passagens que me chamam a atenção e às vezes até escrevo uma coisa ou outra nas margens das páginas. A leitura se transformou para mim num passatempo com conteúdo; com muito conteúdo."

Em um mundo impregnado pela tecnologia digital como o nosso — uma tecnologia que esfacela e liquefaz a experiência humana, ao impor o império do imediato e do superficial —, a proposta do Laboratório de Leitura apresenta-se como um convite ao resgate da experiência da leitura; experiência esta que proporciona uma relação diferente com o tempo, com o corpo e com a mente. Como aponta Gaston Bachelard em *A Poética do Espaço*,[6] o ato da leitura clama por uma relação muito especial com o espaço: ele exige a definição de um espaço próprio, um "espaço de intimidade", que deve assegurar no plano físico e externo aquilo que vai se encontrar no plano

---

6 Op. Cit.

mental e interior. Por isso buscamos, geralmente, um canto aconchegante, resguardado e confortável para a leitura, ainda que muitas vezes, com o hábito já bem desenvolvido, encontramos este resguardo e aconchego interno nas situações externas menos favoráveis, como em ônibus e vagões de metrô, ou em salas de espera de consultórios e filas de banco. De qualquer forma, exigindo num primeiro momento e depois até prescindindo da contrapartida externa e física, o ato da leitura de um livro (principalmente de um bom livro de literatura, no qual se desenvolve uma história em forma de narrativa) propicia uma experiência única de recolhimento e interiorização, algo hoje tão difícil quanto necessário. Na perspectiva apontada por Paul Ricoeur em *Tempo e Narrativa*,[7] a leitura de um livro de literatura proporciona a ampliação da experiência espaço-temporal, possibilitando o acesso a diferentes planos da vivência concomitantes àquele mais imediato da realidade cotidiana. "O livro me faz esquecer de mim, de tudo... Eu relaxo, viajo, me emociono..."

Não é incomum encontrarmos nas narrativas e testemunhos das centenas de participantes do

---

[7] RICOEUR, P. *Tempo e Narrativa*. Vol. I. Trad. M. Aguiar. São Paulo, WMF Martins Fontes, 2010.

LabLei essa indicação do caráter libertador da leitura, primeiro passo no caminho da "experiência da ampliação da esfera da presença do ser"[8] que qualifica aquilo que vimos chamando de processo de humanização. Ler um livro de literatura é pois como um descortinar uma janela que se abre para um outro tempo e um outro espaço; uma experiência por si só terapêutica,[9] como nos conta essa participante de um grupo do LabLei numa grande corporação:

"Eu já tinha experimentado em outras ocasiões esse poder relaxante e restaurador da leitura: dar uma parada no ritmo, na loucura do dia a dia, para ficar um pouco sozinha, esquecendo um pouco de tudo e de todos, para ficar a sós comigo mesma e com a história e as personagens do livro... Sim, mas depois que comecei a participar do Laboratório de Leitura, passei a fazer isso de forma mais sistemática. Quer dizer, antes, eu fazia isso só quando dava, quando não tinha absolutamente mais nada o que fazer — o que, sinceramente, é raro, muito raro... E, quando fazia, ou seja, quando me refugiava na leitura, eu fazia até com uma

---

[8] TEIXEIRA COELHO, Op. Cit.
[9] Sobre este efeito específico do LabLei falarei, com mais detalhe, um pouco mais adiante.

ponta de culpa... Verdade! Mas então, quando, com o Laboratório, ler literatura passou a ser uma 'obrigação', uma espécie de 'lição de casa', comecei a fazer sem culpa e, muito pelo contrário, até com uma pontinha de orgulho. Então comecei a pedir, por exemplo, pro meu marido me ajudar mais e, nos finais de semana, deixar um pouco o futebol na TV de lado pra ficar de olho nas crianças enquanto lia meu livro por uma meia hora, 45 minutos. Ele me perguntava o que eu estava lendo, e eu dizia que apesar de ser livro de ficção, era para uma atividade do trabalho. Ele dizia, 'ah, estranho...', mas até achava legal que eles estivessem propondo um livro como *A Morte de Ivan Ilitch*, de Tolstói, como tarefa de trabalho! E assim, graças ao LabLei, fui conquistando esses espaços, esses tempos de relaxamento, de descanso, de diversão, com a justificativa de que estava estudando, trabalhando..."

Mais adiante, entretanto, a mesma participante acrescenta:

"Diversão? Será que dá pra chamar a leitura deste tipo de livros que a gente lê no LabLei de diversão?! É... por um lado é, tem muita coisa divertida... Mas, por outro, a gente experimenta algo que vai muito além da diversão! Quantas vezes fiquei triste, angustiada, ansiosa, lendo o Ivan Ilitch! Mas é interessante: mesmo sentindo tristeza e angústia não deixou de ser divertido... É que além de toda essa experiência de escapar, por uns momentos que seja, do cotidiano, a leitura de livros como esse que a gente lê no Laboratório te faz mergulhar nos dramas mais profundos e te faz pensar em coisas muito sérias e importantes que a gente quase nunca pensa e até evita de pensar... E isso é também muito bom!"

Invertendo a lógica definida por Blaise Pascal,[10] para quem a diversão é o contrário da conversão, a experiência narrada por esta participante, que ilustra de maneira quase exemplar um dos fenômenos mais característicos do LabLei, mostra que a leitura dos clássicos é uma forma de diversão que acaba por levar à conversão; à *conversio*, no sentido de se voltar para dentro de si mesmo, de se conhecer e se enfrentar. Em suma, suscitando a *diversio*, a diversão por meio da leitura, o LabLei possibilita, sem perder seu efeito "divertido", gerar um movimento de *conversio*, de conversão, cujos efeitos vamos estudar em seguida.

---

10 PASCAL, Blaise. *Pensamentos*. Trad. S. Milliet. São Paulo, Abril Cultural, 1973 (Col. Os Pensadores), p. 73 e ss.

EFEITO 2: O LABLEI AMPLIA O HORIZONTE CULTURAL E INTELECTUAL E FOMENTA O DESENVOLVIMENTO DE HABILIDADES

Mostrávamos há pouco, por meio das narrativas dos participantes do LabLei, como a experiência de ler um clássico da literatura pode ser algo árduo e difícil para quem, em nosso mundo imediatista e superficial, está se iniciando nesta prática. Vimos, porém, pelas mesmas narrativas, como a superação dos bloqueios e dificuldades pode ocorrer de maneira simples e natural, quando a experiência da leitura se dá no contexto da dinâmica do Laboratório de Leitura.

Assim, uma vez superadas as barreiras e "pago o preço do clássico", o sentimento de entrave e frustração rapidamente é substituído pelo de prazer e satisfação que só a leitura de um bom livro proporciona. Todavia, na sequência desse processo desencadeado pela experiência estética, acabamos por nos deparar com outra dimensão experiencial que, sem anular ou contradizer aquela que a antecede, nos lança no universo ampliado da reflexão sobre as questões essenciais da existência humana. E aqui, apesar das surpresas e incômodos que costumam ocorrer, o prazer da descoberta agrega-se ao prazer da leitura, potencializando assim a "ampliação da esfera da presença do ser", como descrevia Montesquieu.[11]

"É surpreendente o quanto descobrimos e aprendemos a respeito do ser humano nos clássicos da literatura" — comenta um participante de um dos ciclos coorporativos do LabLei. E outro, fazendo eco às considerações de Antoine Compagnon arroladas no segundo capítulo deste livro, afirma: "Acho que se aprende muito mais e melhor a respeito do ser humano lendo clássicos como *Hamlet*, *Dom Quixote* e a *Divina Comédia*, do que lendo manuais de psicologia e tratados científicos e filosóficos."

"É incrível — diz ainda um terceiro —, porque nestes livros que lemos no Laboratório podemos encontrar o humano em ação. Não um ser humano genérico, abstrato, mas o ser humano por meio de um personagem, vivendo, agindo, decidindo, acertando, errando, se dando mal, exatamente como nós..."

A oportunidade de ampliar o conhecimento a respeito de múltiplas dimensões da realidade que envolvem a experiência humana é um aspecto que aparece com frequência nas narrativas dos participantes que falam a respeito do Laboratório de Leitura:

---

11 MONTESQUIEU. *O Gosto*. Trad. Teixeira Coelho. São Paulo, Iluminuras, 2005.

"Aprendemos um montão sobre história, cultura, religião e outros aspectos da sociedade e estilos de vida dos homens quando lemos e, principalmente, discutimos esses clássicos da literatura. Aprendemos nos próprios livros, por meio das próprias histórias, e aprendemos com as coisas que somos obrigados a procurar, a pesquisar. Vira e mexe dou de cara com alguns fatos e realidades históricas, costumes, etc. que não conheço, que nunca ouvi falar... Quando na edição que estamos lendo tem aquelas notas explicativas tudo bem, mas quando não tem (e isso acontece na maioria das vezes), então vou para o Google, Wikipédia e outras fontes. Ou então, o que é o melhor de tudo, aproveito os encontros para perguntar, pois o coordenador sempre está pronto pra responder; ou então algum outro colega que também sabe... Enfim, a gente aprende muito, muito mais que literatura nesse Laboratório."

Dessa forma, ainda que não se apresente como um objetivo deliberado da proposta, a dinâmica laboratorial de leitura e discussão de clássicos da literatura acaba por proporcionar um mergulho nas dimensões mais amplas da realidade humana, possibilitando o levantamento de questões que envolvem contextos e circunstâncias históricas, culturais, sociológicas, religiosas, dentre outras. Nesse sentido, portanto, a dinâmica do LabLei, ao proporcionar esse mergulho no humano em seu contexto, parece ratificar a máxima antropológica de Ortega y Gasset,[12] para quem só é possível compreender o homem em suas circunstâncias.

É interessante observar, nesse sentido, como os participantes destacam a ampliação de repertório que o LabLei proporciona. Repertório não só literário, mas também histórico, cultural, filosófico.

"Depois de mais de quatro anos — comenta um participante assíduo de um ciclo domiciliar — participando do LabLei, e tendo lido mais de 20 livros, percebo claramente como ampliei meus conhecimentos. Conversando com meus amigos percebo isso. A literatura tem sido para mim uma porta de entrada na cultura, na história e de repente parece até que andei fazendo um outro curso universitário! Meus amigos mais próximos comentam: 'nossa, como você anda cult!' Mas não é bestice; é que essa coisa de ler os clássicos amplia mesmo os horizontes e te desperta o desejo de saber mais. Então vou pesquisar mais sobre o autor que estamos lendo, sobre aquele momento histórico e outras coisas. Então, depois de pegar esse costume de ler os clássicos, comecei a ler

---

12 ORTEGA Y GASSET, José. *Meditaciones del Quijote*. Madrid, Catedra, 1984, I, 322.

também biografias (adoro biografia) e livros de história e de filosofia. Costumo dizer que o LabLei é uma verdadeira escola de humanidades. Para mim, pelo menos, tem sido."

Se, por um lado, num contexto de média e longa duração, a participação no LabLei acaba por proporcionar uma verdadeira formação humanística, ampliadora dos horizontes culturais, por outro, em contextos mais imediatos e pontuais, como em programas corporativos delimitados, o Laboratório tem se mostrado eficaz no despertar e desenvolvimento de competências e habilidades altamente valorizadas e requisitadas. É o caso, por exemplo, deste testemunho dado por um gestor da área de inovação de uma grande indústria de cosméticos:

"Para mim, a experiência com o Laboratório de Leitura teve consequências inesperadas. Resolvi participar porque dentre as opções no programa de educação corporativa que frequentamos a proposta do LabLei me pareceu a mais interessante. E isso porque vi que era para ler um livro que já tinha ouvido falar, mas que não tinha tido ainda a oportunidade de ler: *O Retrato de Dorian Gray*, de Oscar Wilde. Gostei muito de ter participado; foi muito legal tudo, mas, para mim, o mais interessante foram os insights que tive lendo o livro e participando dos encontros. Trabalho com inovação e, muitas vezes, é complicado essa coisa de inovar. Não adianta eu sentar todos os dias na frente do meu computador e dizer: 'bom, vamos lá, vamos inovar hoje'. Não é assim! Muitas vezes a gente fica dias, meses, tentando, explorando, mas não sai nada. E olha que a gente busca, pesquisa, lê muita coisa sobre inovação... E não é que, de repente, lendo o *Dorian Gray* e participando dos encontros do Laboratório, comecei a ter umas sacadas incríveis?! De repente, de onde eu menos esperava, começou a vir material superinspirador, inovador... Aí então comecei a perceber o quanto a literatura tem um baita poder de te repertoriar. Ela amplia mesmo os horizontes e é uma grande colaboradora no processo criativo e de inovação. E não só a leitura, mas essa possibilidade de fazer esses verdadeiros *brainstorms* que sãos os encontros do Laboratório. Acho que isso devia ser uma coisa permanente em qualquer empresa que quer investir em criatividade e inovação."

Aproximando as pessoas dos clássicos e fomentando a experiência estética e reflexiva a partir deles, o Laboratório de Leitura parece ter o poder de ampliar os horizontes culturais, o que contribui não apenas para uma melhoria do nível intelectual das pessoas, mas também para o desenvolvimento de saberes e habilidades práticas importantes no contexto desafiador em que vivemos atualmente.

EFEITO 3: O LABLEI SUSCITA O ENCONTRO COM AS QUESTÕES ESSENCIAIS DA EXISTÊNCIA HUMANA E IMPACTA NA FORMAÇÃO E VIVÊNCIA ÉTICA

Longe, porém, de se restringir aos patamares intelectuais e práticos mais circunstanciais e utilitários, os efeitos do LabLei acabam atingindo dimensões mais profundas da experiência humana, impactando nas instâncias do ético e do existencial. E, é claro, não podia ser de outra forma, já que a matéria-prima do Laboratório, os clássicos da literatura, traz esta potencialidade inscrita em seu próprio DNA. Como ensina Italo Calvino,[13] um dos elementos que mais caracterizam uma obra clássica é justamente o de apresentar, de uma forma magistral, o "problema" do humano enquanto questão eterna e universal, para além das circunstâncias históricas e culturais. Assim, inevitavelmente, a leitura de um clássico suscitará o reconhecimento dessas questões essenciais da

---

13 CALVINO. Op. Cit.

existência humana, despertando no leitor a curiosidade e o desejo de enfrentá-las.

Nesse contexto, o Laboratório de Leitura tem demonstrado ser, mais uma vez, um excelente coadjuvante e fomentador deste potencial humanístico dos clássicos — sua capacidade de levar-nos a entrar em contato com essas dimensões mais profundas da experiência humana:

"Fico maravilhado ao constatar como, por meio dos clássicos, conseguimos identificar e reconhecer esses temas humanos que são universais: as paixões, os valores, as virtudes — comenta um participante de um grupo de diretores de uma importante instituição financeira. E mais: não só os temas continuam os mesmos, como nossa forma de proceder frente a eles também seguem iguais. Essa busca por uma vida leve, decente e agradável que caracteriza o protagonista do livro que lemos[14] continua sendo absolutamente atual. Mudam as circunstâncias, o contexto histórico, mas na essência, para nós, homens do século XXI, aqui no Brasil, é tudo absolutamente igual! É até assustador! Essa experiência nos força a uma verdadeira revisão de nossos valores. Eu me vi em

---

14 Refere-se à *A Morte de Ivan Ilitch*, de Liev Tolstói.

Ivan Ilitch; me vi muito! Será que vou terminar como ele?! Não quero terminar como ele."[15]

Na esteira daquilo que vínhamos comentando no capítulo II, a partir das considerações dos autores que analisam o poder humanístico e humanizador da literatura, a experiência empírica no Laboratório de Leitura demonstra de maneira vivencial essa dinâmica de reconhecimento e mobilização existencial que a leitura dos clássicos pode provocar. O reconhecimento das atitudes humanas frente aos valores e às decisões éticas vivenciadas pelas personagens da obra determina um posicionamento de identificação positiva ou negativa por parte do leitor, o que pode, muitas vezes, ser um elemento detonador de crises. Desta forma, o processo de descoberta do humano na experiência de leitura dos clássicos não se vivencia numa perspectiva meramente cognitiva, mas, indo além do intelectual, envolve e afeta outras dimensões do ser, comprometendo, efetivamente, o ético por meio do estético.

---

15 Nesta novela, Tolstói narra a história de um abastado e bem posicionado juiz de direito na Rússia tzarista que, tendo feito tudo "comme il faut" para chegar ao topo da carreira, acometido de uma doença terrível e incurável, começa a se questionar sobre o sentido da vida e seus valores. Pouco antes de morrer, Ivan se pergunta se talvez não tenha vivido da maneira certa, mas tudo ao contrário.

"Essa coisa do ser ou não ser do Hamlet foi uma descoberta que me afetou muito — comentava um participante de um dos grupos desenvolvidos no programa de Ética & Literatura de uma escola de negócios — fiquei tocado desde a primeira leitura, ainda que no começo, claro, não tinha entendido muito bem. Depois que começaram os encontros e esse tema começou a ser discutido, quando eu saquei que ser é fazer aquilo que tem de ser feito, custe o que custar, e não ser é simplesmente não fazer o que tem de ser feito... Ih, aí a coisa complicou... Aí entendi tudo direitinho... Entendi perfeitamente o que o Hamlet queria dizer com aquele 'ser ou não ser: eis a questão'. Porque a questão é exatamente essa aí mesmo! Todos os dias, em todos os momentos, no trabalho, em casa, com os amigos, me vejo sempre no mesmo dilema: ser ou não ser? Se faço aquilo que tenho de fazer, sou; se não faço, não sou... E, se não faço e não sou... percebo quais são as consequências: a história do Hamlet mostra isso direitinho... Pois então, depois de ler essa história e explorá-la aqui no Laboratório, já não sou mais o mesmo. Não dá mais pra ser!"

Expressar, por meio de uma narrativa composta de personagens e tramas, de forma clara e convincente, os conteúdos essenciais e universais da experiência humana parece ser aquilo que melhor descreve uma obra clássica da literatura. O reconhecimento desta expressão ou tradução do humano na experiência estética e compreensiva do leitor caracteriza, pois, aquilo que se pode definir como o encontro do humano; o encontro da feliz expressão do autor com o íntimo reconhecimento do leitor. Este encontro, como vimos teórica e empiricamente, tem um poderoso potencial humanizador, na medida em que não apenas desperta o leitor para esses conteúdos e valores essenciais, como também os "ativa", desencadeando um movimento que envolve as dimensões afetiva, intelectiva e volitiva deste mesmo leitor. Neste contexto, o conhecimento do humano na experiência de leitura dos clássicos leva, inevitavelmente, ao autoconhecimento e, este, por sua vez, gerando crises no âmbito ético, pode levar a mudanças no nível da percepção e das atitudes — na maneira de ser e agir no mundo.

Todo este movimento humanizador que, a princípio, segundo os teóricos que vimos acompanhando, seria resultado da simples experiência de leitura dos clássicos, apresenta-se sempre, entretanto, muito mais como uma possibilidade do que como uma lei. Por sua vez, a experiência propiciada pela dinâmica do LabLei, se não garante a efetividade do movimento, parece potencializá-lo grandemente, trabalhando como uma espécie de catalisador.

"Lendo sozinho (trata-se de um testemunho de um participante de um ciclo domiciliar em sua história de convivência sobre *Macbeth*, de Shakespeare), eu tinha, claro, pensado em algumas coisas sobre o tema da ambição e o jeito como a gente lida com as tentações do poder. Mas é só quando chegava aqui no Laboratório, quando tinha a oportunidade de expor essas minhas ideias, esses meus pensamentos, é que eles, digamos, tomavam mesmo forma. Descobri então que pensar a partir da literatura é algo fantástico. Mas descobri também que se pensar sozinho já é algo genial, pensar com os outros é muito melhor, é superior!"

Servindo, pois, como elemento propiciador da experiência humanizadora, que envolve conhecimento do humano e autoconhecimento, e que é própria da experiência da leitura dos clássicos, o Laboratório de Leitura não apenas ratifica este movimento como ainda o amplifica, abrindo perspectivas e vivências que a leitura solitária não pode proporcionar.

EFEITO 4: O LABLEI PROPICIA A HUMANIZAÇÃO PELA ABERTURA PARA SI E PARA O OUTRO

Já vínhamos falando acima (Efeito 1) dos efeitos benéficos que a experiência do Laboratório de Leitura pode proporcionar aos leitores já iniciados nos clássicos e aos em iniciação. A experiência da leitura compartilhada e da discussão em grupo demonstra ser um elemento estimulador e potencializador, não apenas da vivência estética, mas também do processo de compreensão aprofundada do texto, do conhecimento do humano e do próprio autoconhecimento.

Neste sentido, a experiência da dinâmica grupal, própria do Laboratório de Leitura, apresenta-se, concomitantemente à experiência da leitura em si, como uma dimensão essencial no trabalho de humanização a que se propõe. Relembrando o que dizíamos acima (Cap. 3), se o refletir com o outro torna o processo de pensar muito mais fácil, o humanizar-se sozinho não é só difícil, mas impossível. De forma emblemática, pontua uma participante de um grupo domiciliar do LabLei:

"O Laboratório de Leitura é muito mais do que uma atividade de estímulo à leitura e ao conhecimento. Ele é, pra mim, um espaço de encontro; de encontro com o outro. Venho pros encontros do

LabLei não só com um grande desejo de falar, de expressar meus sentimentos e pensamentos sobre o que andei lendo do livro naquela semana, mas também com muita vontade de ouvir; de ouvir o que os colegas têm a dizer sobre essas mesmas coisas que andei lendo... É uma experiência muito rica! Acho, às vezes, que ouvir o que os outros pensaram sobre o que leram é tão ou até mais rico do que minha própria leitura."

E uma outra participante, de um outro grupo domiciliar, comenta:

"Depois de um certo tempo participando do Laboratório, a gente começa a ver que já não se consegue mais ler um livro sozinha. Quer dizer, a gente começa a ver que cria uma espécie de dependência... no bom sentido! A gente lê já com aquela perspectiva de levar nossas impressões, dúvidas, questionamentos para o grupo e, ao mesmo tempo, a gente lê na perspectiva também de querer ver, ouvir, o que fulano ou mengano achou, sentiu... É como se a leitura dos outros fosse tão necessária quanto a nossa mesma para a compreensão da obra..."

São muitos os testemunhos que reforçam esse efeito de mudança na perspectiva de leitura depois de iniciada a experiência no Laboratório de Leitura: começa-se a ler contando com o compartilhamento da leitura nos encontros do

LabLei. Lê-se com a expectativa de que o lido será revisitado e remexido no encontro com os outros, de maneira que a dimensão coletiva da dinâmica laboratorial começa a fazer parte da experiência da leitura em si e, nesse sentido, pode-se dizer que esta experiência deixa de ser algo solitário para se tornar uma experiência coletiva, compartilhada.

Para muitos participantes, o LabLei proporcionou a percepção da absoluta importância da presença do outro no processo de conhecimento e reflexão.

"Depois de alguns anos participando do Laboratório — confessa um participante de grupo domiciliar —, percebo que foi aqui que aprendi não só a ler, mas também a refletir, a pensar nessas 'questões essenciais da existência humana', como costuma dizer o coordenador. E nisso conta muito, tanto ou até mais do que os próprios livros, a participação dos outros participantes, dos outros colegas. No Laboratório fiz experiências incríveis, descobertas maravilhosas que impactaram fortemente em minha vida como um todo e, muito, muito disso devo não só aos livros que li, mas às coisas que as pessoas do grupo disseram, trouxeram, ajudaram a revelar."

"Acho que um dos aprendizados mais surpreendentes que tive na experiência do Laboratório —

comenta um participante de um grupo corporativo — foi o de ouvir. Sim, porque todo mundo que me conhece sabe que eu não sou muito de ouvir. Nunca tive muita paciência. Sou muito proativo: penso e logo começo a fazer, sem pedir opinião pra ninguém. E quando alguém vinha me expor alguma ideia ou projeto, eu escutava, mas ouvia muito pouco; não prestava atenção, não tinha paciência... Desde que começou essa coisa do Laboratório de Leitura, como os assuntos diziam respeito a coisas que eu pouco ou nada entendia (eu lia os livros, entendia, mas não conseguia tirar assim tantas coisas como outros colegas do grupo...) eu, engraçado, ficava muito atento, prestando atenção. Não posso dizer que eu tenha mudado assim radicalmente, mas, com certeza, essa experiência no Laboratório de Leitura tem me ajudado muito. Posso dizer que agora escuto mais. Não tanto quanto gostaria, mas muito mais do que costumava."

Sendo a escuta elemento essencial para o processo de reflexão, a dinâmica do LabLei acaba desempenhando um papel importante no desenvolvimento desta habilidade. Isso porque no Laboratório estabelece-se um fluxo que permite e demanda a expressão de impressões e opiniões, oriundas direta ou indiretamente da experiência da leitura, e que evolui na propagação de novas e diferentes expressões que instauram uma verdadeira discussão, um diálogo coletivo ou "multiálogo". E nesta dinâmica nada é rotineiro ou previsível.

"Ao contrário do que costuma acontecer na maioria das reuniões técnicas — continua o mesmo participante citado acima —, nos encontros do Laboratório de Leitura a gente nunca sabe o que vai sair e nem de quem vai sair uma dessas histórias ou sacadas geniais; algo que vai repercutir e vai deixar a gente pensando por muito tempo... Como aqui não precisamos fechar nada, decidir nada, chegar a um acordo sobre nada, acho que as pessoas ficam mais à vontade para ser elas mesmas e dizer o que realmente pensam, o que quase nunca acontece nas reuniões de trabalho."

E aqui vale refletir sobre como o impacto de dinâmicas deste tipo podem repercutir em ambientes altamente institucionalizados, onde decisões colegiadas têm grande importância e caráter decisivo. É o que se depreende, por exemplo, desta fala de um gestor de nível de direção de uma importante instituição financeira:

"Experiências como esta do Laboratório nos mostram a importância de termos canais para expressar nossos sentimentos; de nos expressarmos também emocionalmente. Porque em nosso cotidiano temos, o tempo todo, de trabalharmos e nos expressarmos na lógica do racional, do técnico. E sabemos o quanto de nossas decisões são influenciadas pelas nossas emoções e intuições! Porque então não ter um espaço para expressarmos nossas emoções, sentimentos? Além disso, no fim, sabemos que só conhecemos mesmo as pessoas quando elas expressam não seus conhecimentos e opiniões, mas seus sentimentos, seus afetos."

Complementando e aprofundando a lógica do conhecimento do humano e do autoconhecimento que a leitura e discussão de grandes obras da literatura desencadeia, a dinâmica do LabLei amplifica o processo, agregando a dimensão da alteridade dialógica, determinada por sua estrutura grupal, coletiva. Neste contexto, o processo de revelação e descoberta do humano e de si mesmo se fundamenta na descoberta do outro. Assim, para além dos conteúdos trazidos pela obra literária que se está discutindo, o participante se vê envolvido numa trama de conteúdos, não só conceituais, mas também afetivos e emocionais, que emergem das múltiplas leituras e múltiplas narrativas que se compartilham na confluência das experiências de vida que se encontram. Desta forma, os efeitos do LabLei em seus participantes comprovam que para além do encontro do humano por meio da literatura, o encontro consigo mesmo se potencializa e se amplifica pelo encontro com o outro no processo de compartilhamento de leituras, de afetos, de conhecimentos, de descobertas.

A humanização, processo que se desencadeia pela experiência estética provocada pela leitura e que proporciona o encontro com o humano, demanda, na dinâmica da reflexão, o encontro com o outro — o humano de carne e osso — para que se complete e se consuma. O processo de autoconhecimento, que se inicia na experiência solitária da leitura, necessita do encontro com o outro para ir adiante. E, pelos efeitos que vimos avaliando, a dinâmica do LabLei mostrou ser extremamente propícia e adequada para este fim.

Se a humanização, contudo, pressupõe o encontro consigo mesmo pela arte e pelo outro, ela se caracteriza sobretudo pelo reconhecimento e aceitação do outro. E, neste sentido, a dinâmica do LabLei mostrou-se também especialmente propícia. Pois, se por um lado, ela fomenta a compreensão da alteridade a partir da experiência do conhecimento do humano e de si na obra literária, por outro, ela permite a vivência prática desta mesma compreensão e aceitação da alteridade na experiência de convívio com o outro no contexto de compartilhamento e discussão.

"Confesso que às vezes ficava nervosa com certos comentários e opiniões que surgiam nos encontros do Laboratório. Mas isso não era algo que só acontecia no Laboratório; era algo constitutivo do meu ser, pois em geral sou muito intolerante e não tenho paciência com as pessoas. Porém, quando num dos ciclos estávamos discutindo Dostoiévski, me deparei com algo que me tocou profundamente. Uma pessoa comentou sobre a questão da misericórdia, que aparecia superclaramente na história, mas que eu nem me havia dado conta. Essa pessoa releu o trecho em questão e sublinhou como a misericórdia se manifestava principalmente através da compreensão e da paciência para com o próximo. E ela releu o trecho e comentou com tanta emoção que aquilo me tocou. Achei bonito... Algo que era belo, mas que eu estava longe de praticar... Porém, desde então, tenho procurado praticar isso. Começou, é claro, pelo Laboratório: comecei a procurar ser mais paciente e compreensiva com os outros, com os colegas... E então, algo incrível começou a acontecer: comecei a ver as pessoas que eu considerava chatas, burras, sem graça, de outra maneira. De repente, comecei a perceber que coisas incríveis saíam das bocas das pessoas mais inusitadas, que eu considerava quase incapazes de pensar algo interessante. Não que isso aconteça sempre, mas a partir de então, comecei a levar isso para minha vida como um todo: na família, no trabalho... E tem sido transformador. E como melhorou minha qualidade de vida! Então, veja só, o Laboratório me ensinou a aceitar melhor o outro."

Esta história, contada por uma participante de um grupo corporativo, expressa, de forma emblemática, como o despertar deste elemento essencial da humanização — a compreensão e aceitação do outro — se realizou no contexto da experiência laboratorial, na confluência destes dois encontros complementares potencializados pela dinâmica: o encontro do valor ou conteúdo humano, por meio da obra, e o encontro com o outro, por meio da convivência pessoal no grupo.

É claro que sendo emblemática, esta história apresenta mais um ideal atingível do que uma realidade predominante. Não são todos e nem mesmo a maioria daqueles que frequentou ou frequenta o Laboratório de Leitura que foi ou é afetada desta forma e apresenta uma tal transformação humanizadora. De qualquer maneira, entretanto, ela aponta de forma quase didática a maneira como uma experiência como a do LabLei pode contribuir para o processo de humanização das pessoas. Pois, no fim, sabemos que a humanização das pessoas depende não apenas das condições e qualidades estéticas e técnicas que uma proposta como a do LabLei possui, mas também e principalmente das condições e circunstâncias especiais de cada pessoa. E aqui, muitas vezes — parodiando o autor russo recém-citado acima — predomina o misterioso, o incontrolável e o imponderável.

EFEITO 5: O LABLEI TEM EFEITO TERAPÊUTICO

Quando decidi escrever este livro, ao reunir, a partir das anotações e gravações dos encontros, relatos de experiência ou entrevistas transcritas, os testemunhos sobre o poder e os efeitos do Laboratório de Leitura na vida dos que dele participam e participaram, notei que a palavra mais utilizada por todos eles para descrever suas experiências foi esta: terapêutico. Para mim, na verdade, não foi nenhuma surpresa, pois eu a venho escutando diariamente há muitos anos, em todos os grupos, nos mais diversos cenários em que o Laboratório vem sendo realizado.

Ainda que não seja surpreendente, entretanto, não deixa de ser curioso, já que, como acredito haver mostrado nos capítulos anteriores, o objetivo do Laboratório de Leitura, desde a sua origem, nunca foi terapêutico. Pelo menos não intencionalmente.

Creio ser dispensável, a esta altura, relembrar todos os fundamentos educacionais e acadêmicos que nortearam a estruturação e desenvolvimento do LabLei ao longo de sua história, pois estes foram suficientemente descritos e explicados em diversos momentos desta narrativa. O que é interessante destacar agora, entretanto, é a percepção que desta realidade têm os participantes e o quanto eles compreendem a diferença que há entre a proposta e o efeito.

"Desde o momento que comecei a frequentar os encontros do Laboratório de Leitura ficou claro para mim que não se tratava de uma proposta de grupo terapêutico, ainda que logo tenha percebido que seus efeitos eram sim terapêuticos" — comenta uma participante de grupo domiciliar.

E outra, também frequentadora de um grupo domiciliar, conta, na mesma direção:

"A primeira vez que ouvi falar do LabLei foi por uma amiga, que disse que participar era quase uma terapia; que ela saía dos encontros feliz, renovada... Decidi conhecer por mim mesma e comecei a frequentar o mesmo grupo que ela. Confesso que me surpreendi muito. Esperava encontrar algo parecido com que a gente encontra nesses grupos de psicoterapia, mas logo me dei conta que não tinha nada a ver. Os temas, a condução, a maneira como as discussões rolavam... era tudo muito diferente de um grupo terapêutico — pelo menos dos que eu conhecia e já tinha ouvido falar... No entanto, vi que minha amiga tinha razão... No fim, é uma coisa terapêutica mesmo!"

A reflexão sobre este aparente desencontro entre propósito e efeito do Laboratório de Leitura impõe-se, pois, como uma tarefa nada desprezível nesse contexto em que procuro analisar os principais efeitos desta dinâmica nas pessoas. Em última análise, foi justamente esta insistência no caráter terapêutico do Laboratório que inspirou o próprio título deste livro. E, afinal, não há nada de mal em se encontrar aquilo que a princípio não se estava buscando, desde que a coisa encontrada seja boa ou até melhor do que a buscada.

Buscávamos, desde o início, como vim frisando, um meio de formação humanística e humanização, primeiro no âmbito da saúde e depois no âmbito mais ampliado da sociedade e do universo corporativo, empresarial. A prática e a avaliação da aplicação da dinâmica entre as mais diversas pessoas mostraram, contudo, que, além de o Laboratório de Leitura ter se demonstrado um eficaz meio de humanização, ele também acabou por ser considerado uma atividade de efeito terapêutico, como atesta boa parte dos testemunhos. Nesse sentido, tudo leva, pois, a concluir que o que aparentemente apresentam-se como dois objetivos diferentes, são, na verdade duas dimensões ou facetas de um mesmo objetivo. Aquilo que, por força dos referenciais teóricos, em consonância com o léxico acadêmico, insisto em chamar de humanização, a grande maioria dos participantes do Laboratório chama de terapia.

"O Laboratório para mim foi uma das melhores coisas que me aconteceu nos últimos tempos. Quando comecei a frequentar, estava numa fase meio complicada da minha vida. Fazia tempo que estava meio engripada na minha terapia — faço terapia há mais de dez anos. Parecia que já tinha esgotado todas as minhas histórias, todos os meus assuntos. Na verdade, a coisa já estava ficando chata e repetitiva; era como se tivéssemos, meu terapeuta e eu, chegado a um beco sem saída. Mas aí começaram os encontros do Laboratório. E então, nossa, quanta coisa que eu nem imaginava que podia estar em mim começou a sair para fora! Aquilo pra mim foi uma revelação! E trouxe uma nova perspectiva para minha vida; é como se aquele beco de repente se abrisse numa rua nova, completamente nova!"

E o que o LabLei trouxe de novo que acabou por produzir tal efeito nesta participante de grupo domiciliar?

A resposta vem pelo testemunho de outra participante, desta vez oriunda de um grupo corporativo:

"O Laboratório de Leitura é terapêutico porque te permite não só pensar, mas falar de coisas muito, muito importantes pra você e que você quase nunca tem a oportunidade, nem de pensar, nem de falar. Lembro-me de um dia em que a gente estava discutindo um conto em que o personagem principal escrevia uma carta para um amigo.[16] Ele tinha uma relação complicada com esse amigo. Então aquilo me pegou, porque me fez lembrar de um problema semelhante que eu tinha com minha melhor amiga, que mora em outra cidade. Ao ler aquilo, comecei a me reconhecer e, quando, no encontro do LabLei, comecei a falar, a tentar interpretar o que estava acontecendo no conto, acabei por descobrir o que estava acontecendo comigo. Nossa, foi um choque! Mas também foi uma coisa muito boa, porque tudo aquilo me fez repensar minhas atitudes, meu comportamento em relação à minha amiga... Você sabe o que aconteceu? No mesmo dia escrevi para ela e dei o

---

16 Trata-se do conto "O Veredicto", de Franz Kafka. In: *Kafka Essencial*. São Paulo, Penguin/Companhia das Letras, 2011.

primeiro passo no caminho de uma reaproximação. Isso, o Laboratório me fez quebrar o gelo, um gelo que estava se acumulando e nos separando há muitos anos!"

Essa história ilustra, de forma exemplar, todo o movimento estético-reflexivo que caracteriza o processo de humanização, como viemos caracterizando desde o primeiro capítulo deste livro. Em primeiro lugar, a experiência estética interpelativa, resultado da leitura da obra, despertadora dos afetos e sentimentos: "Então aquilo me pegou; ao ler aquilo, comecei a me reconhecer..." Em seguida, o desenvolvimento do movimento reflexivo, que parte da identificação, na trama narrada, da trama da vida vivida, e que encontra na análise dos motivos e gestos das personagens um meio de compreensão das perspectivas e atitudes pessoais, subjetivas: "e quando, no encontro do LabLei, comecei a falar, a tentar interpretar o que estava acontecendo no conto, acabei por descobrir o que estava acontecendo comigo". Por fim, o reconhecimento catártico de si no outro por meio da reflexão desencadeia o movimento da vontade, que demanda a ação: "aquilo me fez repensar minhas atitudes, meu comportamento em relação à minha amiga; no mesmo dia escrevi para ela e dei o primeiro passo no caminho de uma reaproximação."

Configura-se aqui, então, de forma emblemática, o processo clássico de humanização, por meio do qual a experiência estética, desencadeando a reflexão, conduz a uma reconfiguração ética, realizada no plano da prática, da ação. Afeto, inteligência e vontade se viram mobilizadas e envolvidas numa dinâmica que redundou num ser mais humano, ou mais humanizado, se preferirem; num ser que viu ampliada sua esfera de presença, pertença e existência.

Mas o que para o analista acadêmico (e até certo ponto, científico) apresenta-se como o próprio movimento de humanização, para o participante leigo é, simplesmente, terapêutico. Terapêutico porque libertador, curativo: "o Laboratório me fez quebrar o gelo, um gelo que estava se acumulando e nos separando há muitos anos!"

A imagem do gelo é bastante eloquente e remete à dor, ao frio que congela, afasta e provoca sofrimento e dor. Na dimensão existencial daquele que vive a experiência que os teóricos chamam de humanização, esse acontecimento tem o valor de uma cura, de uma libertação, que lhe permite, a partir de então, viver bem, viver melhor. Efetivamente, é aqui onde humanização e cura se identificam e se encontram, justificando plenamente a denominação deste fenômeno como terapêutico.

Porque é próprio do terapêutico, por exemplo, encontrar recursos e forças onde já não há — como alude a primeira participante que citamos mais acima —, e assim potencializar novas perspectivas, encontrando saídas em becos fechados.

E é próprio do terapêutico também repertoriar aquele que busca a cura com novos remédios, que no caso da experiência do LabLei são as próprias palavras, as próprias histórias que têm um poder mágico e libertador:

"Uma das coisas mais fantásticas nessa experiência do Laboratório é o de você encontrar as palavras. Sim, é isso mesmo: a literatura te dá as palavras certas, que você nem sabia que existia. As palavras que a gente sempre busca e não encontra, para poder expressar aquele sentimento, aquela alegria ou aquela dor que você sente, mas que como não consegue dizer, expressar, ela parece que não sai... é como se não existisse, mas sim, existe... E se você não encontra a palavra, a expressão certa, ela fica como que encruada, retida, e acaba te fazendo mal. Então vem a literatura e, de repente, te dá, te mostra a palavra mágica, que sempre existiu, mas que você não conhecia. A experiência do Laboratório para mim é isso: é o lugar onde eu encontro as palavras mágicas para me conhecer e me libertar..."

Neste contexto, cabe inclusive narrar um caso que ilustra, de forma curiosa, o papel que o LabLei pode desempenhar no processo psicoterapêutico. Na mesma direção daquela história que reproduzimos acima, em que a participante conta de como o LabLei ajudou-a na continuidade da sua terapia, trazendo novos conteúdos e abrindo saídas nos becos em que ela e o terapeuta haviam chegado, com o tempo acabei constatando que, em diferentes grupos domiciliares, começamos a receber novos participantes que vinham por indicação de seus terapeutas. Ao conversar com um destes terapeutas, a quem conhecia pessoalmente, ele me explicou:

"Essa atividade do Laboratório de Leitura é um recurso espetacular para o trabalho psicoterapêutico! A literatura acaba por repertoriar o paciente de uma forma extraordinária, com imagens, palavras, situações. Além disso, por meio das personagens, o paciente pode descobrir conteúdos próprios desconhecidos e, ao mesmo tempo, encontrar uma certa forma de expressar esses conteúdos sem precisar se expor tão abertamente."

O efeito terapêutico produzido pelo Laboratório de Leitura não pode, entretanto, ser encarado apenas numa dimensão psicológica, no sentido do psicoterapêutico. A análise das falas dos participantes mostra que eles mesmos imputam um significado muito mais amplo e abrangente ao termo, apontando para uma conotação mais bem existencial. A descoberta de si mesmo por meio da descoberta do humano que a dinâmica do LabLei propõe parece permitir o estabelecimento de uma identificação entre o que é verdadeiro e bom no sentido universal e o que é verdadeiro e bom no âmbito subjetivo.

"O Laboratório me permitiu fazer grandes descobertas, que mudaram minha maneira de encarar a vida. Uma delas, talvez uma das mais importantes, tenha sido a respeito da felicidade. Lendo a *Odisseia* (lendo só não, porque não fossem as discussões eu nunca teria chegado a isso sozinha), descobri que felicidade não consiste em ter paz, conforto, bem-estar. Descobri que a dor e o sofrimento não são incompatíveis com a felicidade, mas que, ao contrário, fazem parte dela. Acompanhando as personagens da *Odisseia*, principalmente o Ulisses, descobri que felicidade tem muito mais a ver com cumprir o seu destino, a sua missão, do que estar tranquila e sossegada, bem protegida e cheia de bens materiais. E sabe que isso, essa descoberta, me trouxe uma alegria, uma paz? Acho que essa descoberta que fiz aqui no Laboratório me curou, me libertou!"

O que esta participante de ciclo domiciliar narra em relação à felicidade expressa, de forma icônica, o que muitos outros relatam em relação aos temas universais e essenciais da existência humana, como o amor, a morte, a coragem, o sentido da vida... Pode-se, portanto, perceber que o que uma grande parcela dos participantes do LabLei revela a partir de suas falas e atitudes corresponde àquele fenômeno descrito por Jaeger[17] (já mencionado no Capítulo II) e conhecido entre os gregos antigos como "psicogagia": a conversão espiritual provocada pela arte.

Há no âmago das grandes obras, explica Jaeger, "alguma coisa que tem validade universal" e que, ao ser, de alguma maneira, reconhecida por quem as está fruindo, desencadeia "uma força emocional capaz de mover os homens".[18] Esta experiência "não tem um sentido meramente sensível, mas sim de profundidade. Não se limita à dramatização exterior, que torna a narração uma ação participada, mas penetra no espiritual, no que a pessoa tem de mais profundo".[19] E para os gregos, continua Jaeger, esta "conversão espiritual", que provém da experiência estética e afeta a dimensão ética da pessoa, encerra o sentido mais profundo

---

17 JAEGER, W. Op.Cit., p. 63.
18 Idem.
19 Ibid, p. 298.

e completo de terapia. A psicogagia é a conversão que traz a cura, em sua dimensão mais ampla, envolvendo o espírito, a alma e o corpo.[20]

Ao refletir sobre o efeito que muitos participantes chamam de terapêutico no LabLei, percebo que é, portanto, neste sentido, mais integral, existencial e, digamos, humanístico, que eles, consciente ou inconscientemente, estão falando. O "remédio" da literatura, aplicado no contexto do Laboratório, tem um efeito terapêutico que envolve espírito e mente, repercutindo não apenas no corpo, mas também nas atitudes, nos gestos, abarcando a vida como um todo.

São muitos os testemunhos neste sentido:

"O Laboratório de Humanidades tem feito de mim uma pessoa melhor" — afirma uma participante assídua de ciclo domiciliar.

Outra, referindo-se ao impacto do LabLei em sua vida profissional, diz:

"O efeito do Laboratório de Leitura em minha vida é muito, muito forte. Hoje, posso afirmar, sem titubear, que não posso mais viver sem o LabLei. Quando, por algum motivo, não posso

---

[20] Esta, inclusive, é a noção que serviu de fundamento para toda concepção socrático-platônica de saúde: aquela que compreende o cuidado da alma em harmonia com o cuidado do corpo. Ibid, p. 537.

vir num encontro, ou então não posso participar de um ciclo, sinto muita, muita falta. O LabLei já faz parte da minha vida e posso afirmar com toda tranquilidade que, por causa dele, sou uma médica melhor. Vejo que estou mais atenta, mais paciente e me vejo tratando melhor meus pacientes e meus colegas de trabalho. Acho que depois do Laboratório eu me humanizei, e isso me fez um bem imenso, em todos os sentidos da minha vida."

Para esta participante, o LabLei foi uma oportunidade de resgate de uma parte importante de si mesma:

"O Laboratório significou para mim uma verdadeira virada na minha vida. Ele me fez, de certa forma, me reconciliar comigo mesma. Acho que isso é resultado do processo de autoconhecimento que ele provoca. Ele tem me ajudado a encontrar a mim mesma, a redescobrir quem eu realmente sou, o que eu realmente gosto, o que eu realmente quero na vida. Um exemplo: a coisa mais importante para mim durante toda minha infância e juventude foi a dança. Mas, depois que casei e vieram os filhos, etc., acabei deixando, esquecendo... Pois bem, depois de algum tempo frequentando o Laboratório de Leitura e, lendo, refletindo e fazendo as descobertas que só podia ter feito aqui, decidi que ia voltar a dançar. E voltei. Sinto-me muito bem por causa disso, e acho que minha vida melhorou muito, muito mesmo!"

E, por fim, este último depoimento, de um participante assíduo que já frequentou mais de um grupo concomitantemente:

"Posso dizer que o Laboratório de Leitura fez uma verdadeira revolução na minha vida. Antes de começar a participar, nunca tinha sequer lido um livro clássico da literatura; só lia livros técnicos e um ou outro livro de ficção tipo best-seller, mas clássicos não, nunca. O primeiro clássico que li na minha vida foi no Laboratório. E isso causou tal impacto que posso dizer que já não sou mais o mesmo depois disso. A partir dessa experiência, posso dizer que as personagens me acompanham e elas me 'aparecem' nas situações da vida cotidiana. Estou numa reunião de trabalho e então preciso tomar uma decisão difícil: então me aparece Hamlet e o seu 'ser ou não ser' e me ajuda na decisão... Estou passando por um momento mais complicado, uma contrariedade, e então me lembro do Ulisses e aquele seu 'aguenta, coração'... Posso dizer que desde que comecei a frequentar o LabLei e ler e discutir os clássicos, sou um homem mais paciente, corajoso, incisivo...".

Como, ao ouvir ou ler todos estes testemunhos, não lembrar de Dom Quixote de la Mancha, quando, já no final de seu primeiro grande périplo, estando enjaulado e debatendo com o clérigo, que procurava convencê-lo de que a leitura o tinha enlouquecido, responde:

> Creia-me vossa mercê e, como já lhe disse, leia esses livros, e verá como lhe desterram a melancolia e lhe melhoram a condição, se acaso a tiver má. Eu de mim sei, que depois de me ter metido a cavaleiro andante, sou bravo, comedido, liberal, bem-criado, generoso, cortês, audaz, brando, paciente, sofredor de trabalhos, de prisões, de encantamentos, e ainda que há tão pouco tempo me vi metido dentro de uma jaula, como se fosse doido, espero, pelo valor do meu braço, ser dentro de poucos dias rei de algum reino, onde possa mostrar o liberal agradecimento que o meu peito encerra.[21]

Parece, de fato, que o remédio redescoberto e dinamizado no Laboratório de Leitura já era conhecido e amplamente utilizado na terapia de humanização dos homens e mulheres desde Homero até Cervantes.
Se alguma virtude pode-se atribuir a nosso experimento laboratorial é o de reatualizar, num contexto de crônica patologia de desumanização

---

[21] CERVANTES, Miguel de. *O engenhoso fidalgo Dom Quixote de La Mancha*. Volume 1. Trad. Conde de Azevedo e Visconde de Castilho. São Paulo, Martin Claret, 2016, p. 563.

que padecemos nestes tempos tão desnorteados, os poderes terapêuticos deste remédio humanizador.

Conclusão para o leitor extremamente ocupado

Pensando no apressado e extremamente ocupado leitor a quem me dirigia no prólogo deste livro, pressinto que já é hora de concluir, ainda que, certamente, houvesse muito mais histórias a contar e muito mais efeitos do LabLei a analisar. Optei, entretanto, por destacar alguns que me pareceram mais importantes e impactantes, apontando desdobramentos interessantes em cenários e circunstâncias diversas.

Em relação aos efeitos do Lablei no contexto corporativo, apenas mencionado neste trabalho, pude desenvolver de forma mais ampla e aprofundada em uma obra específica, fruto de um trabalho de pesquisa desenvolvido na Unifesp e que o leitor interessado pode sonsultar no livro *Responsabilidade humanística*. As experiências aqui assinaladas, apontam um futuro promissor na aplicação desta metodologia na formação de líderes com um perfil mais humanístico e comprometidos com a humanização em seu ambiente de trabalho. Assim como também, por exemplo, na promoção da ampliação do universo cultural e intelectual de colaboradores e gestores, com consequentes desdobramentos no desenvolvimento de competências e habilidades nos campos da criatividade, inovação, proatividade. Sem falar ainda nos benefícios indiretos que as pesquisas em curso já vêm apontando e que nem sequer aqui mencionamos: queda no nível de afastamento laboral, aumento no nível de satisfação e de felicidade no ambiente de trabalho, sentimento de gratidão e reconhecimento do colaborador em relação à empresa e ao gestor, dentre muitos outros.

O objetivo deste livro, entretanto, foi o de registrar e coligir fatos, acontecimentos, descobertas e efeitos de uma história bem-sucedida em curso, procurando destacar suas características mais genéricas e essenciais. Neste sentido, além de impedir sua dispersão e ampliar sua compreensão, este trabalho almeja também tornar esse acontecimento/experimento do LabLei ainda mais conhecido e difundido.

Atualmente, além das dezenas de grupos acadêmicos, domiciliares e corporativos, a coordenação do LabHum/LabLei mantém um programa permanente de formação de coordenadores, que, desde 2012, vem capacitando novos facilitadores que já atuam em diversos cenários e tipos de grupo.

A história futura do LabLei, portanto, já está sendo escrita e, em breve, seus frutos, em termos de novos registros e análises, devem vir à luz. No presente, entretanto, já é possível avaliar o grande potencial terapêutico-humanizador que esta dinâmica apresenta.

É claro que somos conscientes de que não estamos diante de uma panaceia. Apesar do seu grande poder, o LabLei não produz os mesmos efeitos em todos e cada um de seus participantes. Além disso, devido às suas características próprias (a sua fundamentação na leitura e discussão de obras clássicas da literatura), o Laboratório pode ser visto como elitista ou inacessível para uma grande parcela de pessoas alijadas da cultura letrada mais elevada. Num mundo dominado pela cultura da imagem e do acesso a conteúdo superficial e imediato, uma proposta que exige a experiência da leitura pode parecer no mínimo anacrônica e idealista. A crença no poder da literatura e a perseverança na proposição do experimento, contudo, têm produzido resultados alentadores.

Concomitantemente, na esteira da experiência do LabHum/LabLei, estão surgindo novos projetos que propõem a mesma experiência estético-reflexiva com fins humanizadores a partir de outras mídias e artes, como a fotografia, as HQs, o cinema, a música, as artes plásticas e até a contemplação da natureza. Esses e outros experimentos, que têm procurado adaptar a metodologia do LabLei para públicos de diferentes faixas etárias e condição sóciocultural, estão contribuindo e vão contribuir ainda mais para que a metodologia se torne progressivamente mais abrangente e democrática, sem perder o seu rigor e sua potência.

Nos dicionários médicos, o termo remédio se diferencia do congênere medicamento por remeter a qualquer tipo de substância ou prática que, não havendo sendo concebida originalmente para uso terapêutico, pode, entretanto, apresentar virtudes e efeitos terapêuticos e/ou curativos. Ao contrário de um medicamento, que foi concebido e manipulado especificamente para produzir um fim medicamentoso, o remédio apresenta uma identidade própria, independente da ciência e da vontade humana. Talvez justamente por causa disso, o remédio, se, aparentemente, não possui o mesmo nível de eficácia imediata do medicamento sintético, carrega a virtude de algo que é mais abrangente e benfazejo e menos incisivo e agressivo. Neste sentido, assim como o medicamento se associa com o industrial, massivo e despersonalizado, o remédio nos remete ao caseiro, individual, pessoal.

Entendida nesta perspectiva, a literatura, concebida para ser a expressão e a transmissora do mistério humano, ao ser proposta como meio de nos salvar da desumanização, só pode ser concebida como remédio, e nunca como medicamento.

Da mesma forma, o Laboratório de Leitura, enquanto lugar de experimento que trabalha com esta matéria mágica e misteriosa, não pode ser entendido na perspectiva moderna e cientificista do termo (enquanto espaço da técnica massificada), mas antes na antiga, em que o *labor* (trabalho, experimento) se dá a partir da *oratio* (oração, contemplação).

Assim, extremamente apressado e ocupado leitor, concluo e me despeço. Porém, se ainda te interessar a cura para os males de nossos tempos desnorteados, creio que deixei claro aqui a prescrição: desocupa-te, despreocupa-te e, sem pressa, desfruta do substancioso remédio da literatura. E, de preferência, tomando-o segundo a posologia do Laboratório de Leitura. Não te prometo a cura, mas garanto que, pelo menos, te sentirás cuidado e aliviado de tua pressa, preocupação, e, talvez, da tua solidão — o que não deixa de ser algo bastante importante para a saúde da alma. Não é mesmo?

Sobre o autor

Dante Marcello Claramonte Gallian nasceu em São Paulo, SP, em 28 de março de1966. Bacharelou-se em História pela FFLCH-USP (1988), onde fez também seu mestrado (1992) e doutorado (1996). Em 2006 fez seu pós-doutorado na École des Hautes Études en Sciences Sociales de Paris, França. Foi professor nas Universidades Mackenzie (1990-1993) e Federal de Santa Catarina (1993-1999), além de Professeur Visiteur na EHESS de Paris (2007-2009) e Visiting Researcher no Center of Humanities and Health do King's College London, Inglaterra (2012-2014). Desde 1999 é Docente e Diretor do Centro de História e Filosofia das Ciências da Saúde (CeHFi) da Escola Paulista de Medicina

(EPM) da Universidade Federal de São Paulo (UNIFESP), onde é professor titular e criou o Laboratório de Leitura, projeto que já foi laureado com o Prêmio Viva Leitura (2014), homenageado na Brooklin Fest (2016) e que vem se espalhando por diversas instituições e espaços de cultura e do mundo corporativo.

Bibliografia

BACHELARD. G. *A Poética do Espaço*. Trad. J. J. Moura Ramos. São Paulo, Abril Cultural (Col. Os Pensadores), 1984.

BAUMAN, Z. *Modernidade Líquida*. Trad. P. Dentzien. Rio de Janeiro, Zahar, 2001.

BERGSON, Henri. A percepção da mudança. *O pensamento e o movente: ensaios e conferências*. Trad. Bento Prado Neto. São Paulo, Martins Fontes, 2006.

BÍBLIA DE JERUSALÉM. Lc. 4, 14-30. São Paulo, Paulus Editora, 2002.

BOM MEIHY, J. C. Sebe; HOLANDA, F. *História Oral: como fazer, como pensar*. São Paulo, Contexto, 2007.

BONDIA, J. L. Notas sobre a experiência e o saber da experiência. *Rev. Bras. Educ.*, n.19, 2002.

CALDIN, Clarice F. A leitura como função terapêutica: biblioterapia. Eletr. Bibliotecon, n.12, 2001.

CALVINO, Italo. *Por que ler os Clássicos?* Trad. N. Moulin. São Paulo, Companhia das Letras, 2007.

CERVANTES, Miguel de. *O engenhoso fidalgo Dom Quixote de La Mancha*. Volume 1. Trad. Conde de Azevedo e Visconde de Castilho. São Paulo, Martin Claret, 2016.

COMPAGNON, Antoine. *Literatura Para Quê?* Trad. Laura T. Brandini. Belo Horizonte, Ed.UFMG, 2009.

ELIADE, Mircea. *História das Crenças e Ideias Religiosas*, Vol I. Trad. Roberto Lacerda. Rio de Janeiro, Zahar, 2010.

ENDE, M. A *História sem Fim*. Trad. Maria do C. Cary. São Paulo, Martins Fontes, 2013.

GALLIAN, D. M., PONDÉ, L. F., RUIZ, R. Humanização, humanismos e humanidades: problematizando conceitos e práticas no contexto da saúde no Brasil. *Revista Internacional de Humanidades Médicas*, v. 1, n. 1, 2012, p. 8-9.

JAEGER, Werner. *Paideia: a formação do homem grego*. Trad. A. Parreira. São Paulo, Martins Fontes, 2001.

KUNDERA, Milan. *A Cortina*: ensaio em sete partes. Trad. Teresa Bulhões Carvalho da Fonseca. São Paulo, Companhia das Letras, 2006.

LAÍN ENTRALGO, Pedro. *La Historia de la Medicina*. Alicante, Biblioteca Miguel de Cervantes, 2014.

LASCH, Christopher. *A Civilização do Narcisismo*. São Paulo, Companhia das Letras, 1984.

MACHADO DE ASSIS. *O Espelho*. Campinas, Ed. UNICAMP, 2009.

MONTESQUIEU. *O Gosto*. Trad. Teixeira Coelho. São Paulo, Iluminuras, 2005.

ORTEGA Y GASSET, José. *Meditaciones del Quijote*. Madrid, Catedra, 1984.

PASCAL, Blaise. *Pensamentos*. Trad. S. Milliet. São Paulo, Abril Cultural, 1973. (Col. Os Pensadores)

PENNAC, Daniel. *Como um romance*. Trad. Leny Wernec, Rocco, Rio de Janeiro. 1993.

PRÉVOST, A. Aviso do autor. *Manon Lescaut*. Trad. Annie Dymetman. São Paulo, Ícone, 1987.

RICOEUR, P. *Tempo e Narrativa*. Vol. I. Trad. M. Aguiar. São Paulo, WMF Martins Fontes, 2010.

ROSA, João Guimarães. "O Espelho" in *Primeiras Estórias*. Especial. Rio de Janeiro, Nova Fronteira, 2005.

SANTO AGOSTINHO. *Confissões*. Trad. J. Oliveira e A. Ambrósio de Pina. Petrópolis, Vozes, 2012.

SHAKESPEARE, W. *Hamlet*. Ato I, cena I. Trad. Millor Fernandes. Porto Alegre, L&PM, 1997.

TEIXEIRA COELHO, J. A. "Cultura como Experiência", in: RIBEIRO, R. J. (org.): *Humanidades: um novo curso na USP*, São Paulo, Edusp, 2001.

TODOROV, T. *Literatura em Perigo*. Trad. Caio Meira. São Paulo, DIFEL, 2009.

TOLSTÓI, L. *A Felicidade Conjugal*. Trad. B. Schnaiderman. São Paulo, Ed. 34, 2009.

© *Copyright* desta edição: Editora Martin Claret Ltda., 2023.

DIREÇÃO
Martin Claret

PRODUÇÃO EDITORIAL
Carolina Marani Lima
Mayara Zucheli

DIREÇÃO DE ARTE E CAPA
José Duarte T. de Castro

DIAGRAMAÇÃO
Giovana Gatti Quadrotti

REVISÃO
Anna Maria Dalle Luche / Ricardo Mituti

IMPRESSÃO E ACABAMENTO
Geográfica Editora

Este livro segue o novo Acordo Ortográfico da Língua Portuguesa.

Dados Internacionais de Catalogação na Publicação (CIP)
(Câmara Brasileira do Livro, SP, Brasil)

Gallian, Dante.
    A literatura como remédio / Dante Gallian. – 2. ed. – São Paulo: Martin Claret, 2023.

ISBN 978-65-5910-239-6

1. Humanização dos serviços de saúde 2. Literatura clássica 3. Medicina – Aspectos culturais 4. Psicologia da leitura 5. Transformação pessoal I. Título.

23-142060   CDD-615.535

Índices para catálogo sistemático:
1. Literatura como remédio: Cura: Medicina natural 615.535
Aline Graziele Benitez - Bibliotecária - CRB-1/3129

EDITORA MARTIN CLARET LTDA.
Rua Alegrete, 62 - Bairro Sumaré - CEP: 01254-010 - São Paulo, SP - Tel.: (11) 3672-8144 - www.martinclaret.com.br
Impresso em 2023